D1197542

Ce n'est pas un hasard

DU MÊME AUTEUR

Chez le même éditeur

CALQUE, 2001
HÉLIOTROPES, 2005
DEUX MARCHÉS, DE NOUVEAU, 2005
CE N'EST PAS UN HASARD, *Chronique japonaise*, 2011
LA VOIX SOMBRE, 2015
NAGORI, *La nostalgie de la saison qui vient de nous quitter*, 2018

Traductions

LE CLUB DES GOURMETS ET AUTRES CUISINES JAPONAISES, avec Patrick Honnoré, 2013, #formatpoche 2019

Chez d'autres éditeurs

CASSIOPÉE PÉCA, cipM et CNBS, 2001
LE MONDE EST ROND, avec Suzanne Doppelt et Marc Charpin, Créaphis, 2004
APPARITION, avec Rainier Lericolais, Les Cahiers de la Seine, 2005
ADAGIO MA NON TROPPO, Le Bleu du ciel, 2007
ÉTUDES VAPEUR suivi de SÉRIE GRENADE, Le Bleu du ciel, 2008
L'ASTRINGENT, Les Ateliers d'Argol, 2012
MANGER FANTÔME, Les Ateliers d'Argol, 2012
FADE, Les Ateliers d'Argol, 2016
DÎNER FANTASMA, Manuella Édition, 2016

Ryoko Sekiguchi

Ce n'est pas un hasard

Chronique japonaise

P.O.L
33, rue Saint-André-des-Arts, Paris 6e

© P.O.L éditeur, 2011
ISBN : 978-2-8180-1435-6
www.pol-editeur.com

Je commence par la veille.

Le 10 mars 2011

J'achève un échantillon de traduction du livre d'Emmanuel Carrère, *D'autres vies que la mienne.* Je ne suis pas mécontente du résultat.

Le 11 mars

Vers minuit, j'ai une conversation téléphonique avec Jun'ichi, un ami japonais dont je viens de relire une traduction. Brève séance de travail. Il me demande si j'accepterais de lui rapporter un foulard Hermès pour sa compagne quand je viendrai au Japon début avril. On ne trouve pas ce modèle ici, je te rembourserai. J'accepte, bien sûr. Je lui demande de m'envoyer une photo et le nom du modèle.

Vers huit heures du matin, j'allume mon ordinateur. Je trouve un mail de cet ami, avec la photo du carré Hermès, Pégase. Je consulte en même temps, comme d'habitude, le Facebook japonais. Les commentaires parlent d'une grosse secousse sismique. « Dis donc, ça a secoué aujourd'hui ! » « Toutes mes bibliothèques se sont renversées, il va m'en falloir, du temps, pour ranger tout ça. » Une secousse forte, certes, comme on en a deux ou trois fois par an, mais rien d'alarmant. Je vais tout de même appeler mes parents pour prendre des nouvelles. Je suis sûre qu'ils vont me rassurer, sans doute même plaisanter sur ce qui vient de se passer.

Ça ne répond pas. Ils sont sans doute sortis. J'appelle sur leurs portables respectifs. Pas de réponse. Cela m'agace un peu ; ma mère a la fâcheuse habitude d'oublier d'activer sa boîte vocale, et elle ne répond pas toujours sur son portable. Mon père doit être encore au travail.

Je rappelle ma mère. C'est impossible, une telle inattention ; comme je lui dis toujours, si tu oublies d'activer ta messagerie, je ne pourrai pas te laisser de message, au cas où.

Je n'avais pas encore compris que ce jour-là, c'était justement l'au-cas-où. J'appelle en continu pendant une demi-heure, sans succès. Chez mon frère non plus. Je commence à m'inquiéter. Je leur écris un mail collectif. Je comprends enfin que si ça ne répond pas, ce n'est pas que ma mère a égaré son portable mais que la ligne est saturée.

Un appel. Je décroche. Un ami français. « Je suis devant la télé, il me dit, les tsunamis sont impressionnants… » Là, je m'emporte.

C'est plus fort que moi, brusquement, je lui coupe la parole : « Impressionnants ou pas, je m'en fous ! Pour nous, ce n'est pas une image, c'est la réalité qui nous tombe sur la tête ! » Pourtant, au moment où je dis cela, dans la distance, ce ne doit pas être pour moi autre chose qu'une image. Habitude de ces images. Mais à cet instant, je ne prends pas la mesure de la gravité de la situation.

L'impossibilité de joindre ma famille, sans doute, m'a fait sortir de mes gonds. Peut-être aussi ai-je dramatisé un peu parce que je m'adressais à un étranger. Il ne doit pas avoir beaucoup d'expérience des catastrophes. Tentation de prendre le dessus en la matière. Pourtant il n'y a pas de quoi être fière. Les informations que je possédais à ce moment-là rappelaient des catastrophes que l'on a pu connaître par le passé. Graves, certes ; mais on en a connu de graves aussi.

Trois heures plus tard j'ai enfin ma mère au téléphone.

Elle va bien mais elle est sans nouvelles de mon père.

Coup de fil d'un agent de l'opérateur de téléphonie mobile qui me propose « des forfaits intéressants ». En général, je suis plutôt patiente avec ce genre d'appel, je m'imagine à la place de ceux qui doivent faire le boulot. Mais cette fois, impossible, je n'ai pas la tête à ça, je le dis à la femme au bout du fil qui répond : « D'accord, c'est noté. »

« C'est noté » ? C'est noté quoi ?

Okai, un ami au Japon, s'inquiète des centrales nucléaires, je lis son commentaire sur un site et me mets à consulter les pages spécialisées. Jusque-là personne autour de moi n'avait fait allusion à ce risque, tant on était captivé par l'image du tsunami.

Quand j'y repense, ce premier jour, jusqu'en fin d'après-midi, la plupart des Japonais ont cru avoir affaire à une catastrophe naturelle du type de celles qu'ils avaient déjà vécues, même si la puissance du tsunami était incomparable.

Pourtant, ce n'est jamais la même chose. Même si l'on en a déjà vécu d'autres, toute catastrophe est sans précédent au moment où on la vit. Et cette fois-ci, je crains que ce ne soit plus vrai que jamais.

En rentrant, je regarde en boucle sur mon ordinateur la chaîne NHK, chaîne d'information par excellence dans ce genre de situation. Alors je commence à prendre conscience de l'énormité de la catastrophe.

Le soir, j'invite des amis à se réunir chez moi. Mieux vaut être à plusieurs, ne pas rester chacun dans son coin à envisager le pire. Plus on est loin, plus l'imagination s'emballe.

Nous sommes à sept collés au site de NHK.

Parmi mes amis, certains n'ont toujours pas réussi à joindre leur famille. Chaque fois que la télévision annonce une nouvelle réplique, un départ d'incendie, l'un d'eux décroche le téléphone, en vain.

C'est alors que je suis saisie par une étrange sensation : j'ai déjà vécu ça.

Je me souviens, mon frère et moi étions restés jusqu'à trois ou quatre heures du matin à regarder brûler la ville de Kôbé, rongée par les flammes comme après un bombardement. Je me souviens, j'étais collégienne quand un quartier de l'île de Miyake fut détruit par la lave à 70 %. Je me souviens aussi d'un tremblement de terre dans la région même qui est touchée aujourd'hui.

Tant d'images me reviennent, de tremblements de terre et de typhons, que je ne parviens plus à les distinguer. Les images se superposent les unes aux autres. Et tout à la fois ce sont et ce ne sont pas des images. Lorsqu'on est concerné, l'image n'est pas une image, c'est la réalité ; mais quand on n'est pas directement touché, l'image conserve en quelque sorte son statut d'image, et ce sont ces réalités-images qui nous assaillent chaque fois que le Japon est victime d'une catastrophe, et qui se superposent devant nos yeux quand nous sommes rivés devant la télévision.

Mais dans la distance, loin du drame, ici à Paris, c'est autre chose que je ressens soudain, au milieu de mes amis japonais rassemblés dans mon petit appartement, comme de petits animaux cherchant à s'abriter.

Il m'apparaît tout à coup qu'il y a des gens qui ne connaissent pas cela, qui n'ont jamais de leur vie été confrontés à une telle situation, comme les Français, debout sur la terre ferme – c'est une chance inouïe.

Nous-mêmes, dans cette angoisse, nous ne pouvons pas nous empêcher de penser que nous sommes, nous aussi, des Parisiens bien à l'abri.

Le 12 mars

À trois heures du matin, mon père est enfin de retour à la maison. La maison de mes parents se trouve à Kanagawa, département situé à l'ouest de Tokyo, trop loin pour rentrer à pied comme ont pu le faire certains Tokyoïtes que le séisme a surpris pendant qu'ils étaient au bureau.

Impossible, évidemment, de trouver un train ou un taxi. Pas de place non plus dans le car régional, la file d'attente est interminable. Mon père a dû marcher jusqu'à la gare de Tokyo pour prendre le Shinkansen, le TGV japonais, qui avait repris du service le soir et qui l'a déposé tout à fait à l'ouest, à Odawara, à quatre-vingts kilomètres de Tokyo. De là, il a enfin pu trouver un taxi et revenir quelque vingt-cinq kilomètres en arrière jusqu'à chez lui.

Il aurait sans doute pu passer la nuit à Odawara mais, inquiet pour ma mère, il voulait à tout prix rentrer à la maison.

Dans le bus 61, il y a à mes côtés une mère et ses deux enfants, un garçon et une fille. Ils crient à tour de rôle les pays où ils voudraient passer leurs vacances d'été. « Moi, je veux aller au Brésil » ; « Moi, au Mexique », comme on liste les noms de pays appris à l'école. À un moment, le garçon dit : « J'irais bien au Japon – ah, en fait non, ça ce sera pour plus tard. »

En marchant, je prends conscience que je suis bien sur la terre ferme.

C'est cet après-midi-ci que je commence à écrire. Le 11 mars, je ne m'étais pas encore mise à écrire. Je ne sais pas pourquoi cela s'est déclenché. Sans doute, entre autres, parce que je pensais à une lecture à préparer pour le mardi suivant. Je savais que je ne pourrais pas lire un texte comme si de rien n'était.

Le 13 mars

Le poète japonais Tatsuhiko Ishii arrive à Paris. Épuisé.

Il est venu faire quelques interventions et participer à une table ronde dont je serai aussi, le 15 mars. Son vol était maintenu, mais comme la navette pour l'aéroport semblait ne plus fonctionner, nous avons cru jusqu'au dernier moment qu'il ne pourrait pas venir.

Ishii m'apprend l'étymologie du mot « désastre », par l'italien « *disastro* », qui veut dire « sous une mauvaise étoile ».

Un article dans un quotidien français se demande comment les Japonais peuvent continuer à vivre dans une île à ce point sujette aux catastrophes naturelles. Et moi, je voudrais bien savoir si le journaliste oserait dire une chose pareille des habitants de régions au climat difficile, de certains pays d'Afrique, ou d'Iran, où il y a aussi beaucoup de tremblements de terre.

Le 14 mars

Shintarô Ishihara, le maire de Tokyo, un réactionnaire notoire, clame que « l'identité des Japonais est souillée par l'égoïsme. Les tsunamis sont là pour la purifier. C'est un châtiment céleste ».

Il y a toujours des abrutis pour tenir ce genre de discours. Ils attendent la catastrophe, ils l'espèrent même, pourvu que ce soit dans une région autre que la leur, pour « réveiller la jeunesse japonaise » – comme ils l'ont été en leur temps par la guerre, même s'ils ne l'ont vécue que de loin. Ce sont les mêmes qui en appellent à l'état d'urgence pour raviver un héroïsme inutile.

L'opérateur de téléphonie mobile réitère. Sans doute pour m'infliger ses forfaits intéressants. Je lui rappelle qu'il était « noté » que je ne voulais pas être dérangée en ce moment. Et le voilà qui me fait la morale : « Ce n'est pas poli d'interrompre la conversation. Si c'est comme ça, bien sûr que l'on va vous rappeler », avant d'ajouter : « Ah, mais c'est que moi aussi, j'ai des êtres chers au Japon ! ». N'y a-t-il pas eu de directive, je ne sais pas moi, une consigne pour ne pas déranger les clients au patronyme à consonance japonaise, au moins pendant un certain temps ? Je parierais qu'ils sont prêts à relancer les Libyens en pleines manifestations.

Je ne parviens pas à éteindre NHK sur mon écran. Je travaille en laissant défiler les informations. Ou plutôt, non. La vérité, c'est que je n'arrive pas à travailler. Je suis comme hypnotisée. J'ai découvert plus tard qu'il en allait de même pour mes amis.

Je repense à la sensation que j'ai eue le premier soir, à cette superposition des images. Ce qu'elle nous dit.

Parce que ce à quoi l'on est confronté quand on est rivé à la télévision, ce n'est pas seulement les images des vagues, du vent, des flammes. Ce sont des moments de vie bien réels. Des gens qui scrutent les listes placardées dans le hall des mairies à la recherche de leurs proches, ne sachant pas où ils sont, ni s'ils sont vivants ou morts. Les disparus qui errent des jours durant, ni vivants ni morts mais en route plus sûrement vers la mort que vers la vie, et que l'on ne peut pas s'empêcher d'imaginer dans ces paysages de désolation, en apparence sans âme qui vive, que l'on voit à l'écran. Chose terrible, ces disparus, on ne peut pas s'empêcher de les compter. Pour l'instant, on dit 2000, mais on sait que les chiffres ne cesseront d'augmenter de jour en jour. Les alertes aux répliques qui retentissent de temps à autre, interrompant le flux des nouvelles, nous donnent chaque fois le frisson, comme la stridence de l'alerte aux catastrophes des téléphones portables japonais – ils sont ainsi réglés. Il y a aussi l'annonce de la liste des hôpitaux et des lieux d'accueil pour les réfugiés, le nom des écoles qui procurent de l'eau potable, la liste des denrées qui commencent à manquer. Et le ton du présentateur énonçant la liste des noms des morts, lus parfois avec hésitation parce qu'on ne les lui a transmis que sous forme écrite, en caractères chinois, dont on ne peut pas toujours déduire la lecture. Les morts tremblent jusque dans la prononciation de leur nom.

Seul le ton du présentateur est invariable, comme s'il murmurait aux auditeurs : « Voici une nouvelle catastrophe – vous connaissez bien cela, vous reconnaissez tous le ton de ma voix. »

Ce ton qui nous colle aux oreilles, la vision de la catastrophe collée sur la rétine, se superposent à d'autres que nous avons connus depuis l'enfance, et il faut vivre avec cette vision de notre futur possible, à jamais gravée sur la rétine, qui hélas surgit parfois distinctement devant nos yeux.

Je sens qu'en écrivant, j'espère que « ça » va s'arrêter.

J'ignore, au moment où j'écris cette phrase, comment va se terminer ce livre. En règle générale, même si le contenu de chaque passage reste flou jusqu'à ce que je le mette sur papier, je sais d'avance comment se terminera mon livre. C'en est parfois presque frustrant. D'autant que mes histoires finissent toujours bien. Bêtement bien. Je me dis, c'est quand même fou que mes histoires prennent toujours la même tournure, avec une fin heureuse. Mais pour une fois, j'espère de tout mon cœur que ça finira bien. Moi qui ai toujours écrit des histoires qui se terminaient bien, cette fois-ci, peut-être que c'en sera fini. Comme j'aimerais pouvoir lire la dernière page de mon livre, tout de suite.

Avec Ishii, nous allons au Théâtre des Champs-Élysées voir l'*Orlando Furioso.* Nous avions réservé plusieurs spectacles en prévision de son séjour à Paris. On ne va pas annuler maintenant. Mais pendant toute la durée de l'opéra, nous nous sentons tous les deux mal à l'aise. Ishii me dit à l'entracte : « Qu'allons-nous penser plus tard, s'il se produit une autre grande explosion pendant que nous prenons du bon temps ? »

Je lui dis : « C'est comme cela qu'on devient réfugié ; tu ne rentreras pas au Japon et tu resteras vivre ici comme un poète en exil. » Humour noir. Étrange sensation, quasi schizophrénique, qu'il y a à se trouver dans un lieu si opposé à la réalité qui nous assaille.

Avec Cécile Sakai, spécialiste de littérature japonaise, nous avions préparé une traduction d'une série de tanka d'Ishii en vue de sa lecture. La sélection était faite en janvier, la traduction achevée le 2 mars.

Le 12 mars, Cécile Sakai m'envoie un message, elle n'en revient pas : « Je pense à ce qu'a écrit M. Ishii... » Moi aussi, j'ai pensé la même chose.

Il a un triptyque sur les désastres, qui a pour titre « L'Annonce à l'Humanité ». Le premier volet s'ouvre par : « Le jour où la mer écume et la terre s'ébranle », suivi d'une citation de Voltaire sur le tremblement de terre de Lisbonne.

Ishii est inquiet pour demain. Il ne voudrait pas que les gens pensent qu'il a choisi ce texte exprès.

La presse invoque la discipline des Japonais. Certains veulent trouver une clé dans la conception japonaise de l'« impermanence des choses », d'autres dans notre religion. D'autres encore disent qu'il s'agit de résignation.

Il est vrai que je ne voudrais pas faire l'expérience d'un tremblement de terre en France, ce serait un sacré bordel – quoique, le gouvernement réagirait peut-être plus vite que le nôtre. En tout état de cause, si différence il y a, il ne s'agit pas ici d'une différence de mentalité. C'est l'habitude acquise, un apprentissage très pragmatique qu'ont fait tous les Japonais. Parce que les catastrophes naturelles, nous savons bien qu'elles se produisent. Cela n'a rien de fataliste ; c'est un fait avéré. On le sait bien. On nous l'apprend à l'école. On est entraîné à réagir en cas de tremblement de terre. Tous les enfants japonais savent ce qu'il faut faire en cas de tsunami, ou d'avalanche dans les régions montagneuses. Pourtant cela ne suffit pas à s'en prémunir. Il y a des typhons tous les ans, parfois accompagnés de coupures d'électricité, avec antennes ou toits de maisons qui s'envolent. C'est comme ça. Certes, il n'y a pas de grand tremblement de terre tous les jours, mais on ressent de petites secousses au moins une fois par mois. Le plan de Tokyo pour piétons est un best-seller parce qu'il permet de s'orienter au besoin, pour rentrer à pied. Chaque maison est équipée d'une grosse lampe-torche avec radio dans l'entrée. Cela fait partie de notre quotidien, nul n'est épargné. Et c'est pourquoi l'on est saisi du sentiment que « ce qui devait arriver est arrivé », que « ç'aurait pu être moi », que « ça va être mon tour ». D'où cette impression, non pas de résignation, mais d'être toujours concerné. D'où aussi, sans doute, la solidarité qui prévaut à chaque catastrophe. Parce qu'on sait que l'on pourra recommencer à vivre, même s'il faut repartir de zéro, que ce n'est pas la fin de tout. Sauf pour ceux dont l'existence s'est interrompue, brisée net.

Concernant le redémarrage, il m'avait semblé, après le tremblement de terre de Hanshin-Awaji (Kôbé), que les secouristes étaient arrivés plus vite et qu'on percevait mieux le changement de situation, la rapidité du sauvetage, que cette fois-ci. C'est peut-être vrai. Peut-être que je me trompe. Comme j'étais au Japon à ce moment-là, il se peut aussi que les témoignages des volontaires partis secourir les victimes me soient parvenus plus directement (cet afflux de bénévoles – plus d'un million en trois mois – fit ensuite l'objet de critiques, certains semblant s'être rendus sur les lieux du sinistre comme au parc d'attractions, gênant les opérations de sauvetage. Nous en avons tiré la leçon et les volontaires, dont la participation demeure indispensable, sont désormais regroupés sous les ordres d'une escouade professionnelle). Mais tout de même, je ne sais plus quand exactement, cinq jours, une semaine plus tard, on percevait nettement le désir d'un nouveau départ, cet espoir, une sorte d'énergie qui dans le malheur apparaît presque comme un miracle. Cette fois-ci, les sinistrés sont épuisés et comme vidés de tout espoir, et nous-mêmes, écrasés d'impuissance face à la nouvelle catastrophe qui menace.

Une rédactrice de *Libération* m'appelle pour me demander une contribution sur les événements, pour l'édition « Libération des écrivains ». J'ai un texte tout près. Elle me demande de le mettre de côté jusqu'au dernier moment, jusqu'au bouclage, parce qu'« on ne sait jamais ».

Le 15 mars

On est à la veille de la catastrophe. On traverse la veille en espérant que la catastrophe ne se produira pas.

Mais cette fois-ci, on sait qu'on vit la veille, ai-je écrit dans un texte. Et déjà on la perçoit rétrospectivement. On voit qu'il aurait mieux valu ne pas s'acharner à conserver les centrales, qui ont retardé les solutions adéquates, etc. On vit plusieurs stades de catastrophe à la fois.

On me dit que les gens de Kyôto ne se sentent pas concernés. Vu d'ici, à Paris, il semble que le Japon tout entier a tremblé. Ce n'est pas vraiment le cas. À l'ouest, les gens doivent estimer qu'ils ont déjà eu leur dose avec le séisme de Hanshin-Awaji en 1995. On doit aussi se sentir bien loin, pour ne pas dire critique, à l'ouest, du traitement des événements dans les médias japonais. À bon droit : c'est comme si tout le Japon tournait autour de Tokyo. Même si la capitale n'a pas été directement touchée, il suffit qu'elle soit tant soit peu concernée – coupures de courant programmées, dues aux problèmes à la centrale de Fukushima – pour que les médias s'affolent. C'est sans commune mesure quand ce sont d'autres régions qui sont concernées. Le 30 mars, je reçois un mail d'un ami éleveur à Okayama. Il se félicite d'avoir quitté Tokyo vingt-sept ans auparavant pour aller s'établir à la campagne. Le centralisme des médias lui est insupportable.

Les universités du nord ont suspendu leur concours d'entrée, qui devait se tenir ces jours-ci. On apprendra plus tard que la question s'est aussi posée ailleurs, en particulier dans les universités nationales qui devaient accueillir des candidats du nord, dans l'incapacité de se déplacer. On n'avait pas connu pareilles perturbations depuis les mouvements estudiantins de 1969, quand l'université de Tokyo avait supprimé son concours d'entrée. Le 2 avril, on apprend que les universités des autres régions, aussi bien nationales que privées, notamment celle de Tokyo, ont retardé d'un mois la rentrée universitaire, ordinairement début avril, pour permettre aux étudiants du nord de prendre leurs dispositions.

Je tombe sur des caricatures françaises de *La Grande Vague* de Hokusai. Certains commentateurs veulent y voir un symbole du tsunami – mais cette estampe, qui décrit merveilleusement les vagues au large de Kanagawa, n'a rien d'un tsunami ! Pauvre Hokusai.

Cela montre à quel point la peur s'est répandue jusque chez les Européens, comme des rescapés de la noyade qui ne pourraient plus s'approcher de la mer. Le fonctionnement du traumatisme, projeté sur les représentations du passé.

Paul, mon éditeur, dit que j'écris peut-être pour exorciser. Oui, sans doute. On coince l'événement entre des mots, des phrases, pour le compacter, l'enfermer comme on enferme dans le réacteur les particules radioactives.

Chaque écrivain a sa propre boîte à outils, son vocabulaire. Même s'il possède une connaissance illimitée de sa langue d'écriture, il y a des mots qu'il n'utilisera pas. Ils ne font pas partie de son univers. Pour ma part, je n'aurais jamais pensé employer le mot « radioactif » dans un texte.

Je me souviens, un Tunisien me disait pendant la Révolution de jasmin : « Vous n'avez pas idée, les gens dans la rue se parlent si facilement, il y a de l'entraide ; une dame du quartier apporte à manger aux jeunes manifestants, c'est du jamais vu. » Je me suis dit, oui, je sais, c'est ce qui arrive en cas de catastrophe, dans les jours qui suivent. Les gens sont soudain solidaires, on nourrit les enfants des autres, on aide les personnes âgées. Mais je n'ose pas le lui dire, par crainte d'être mal comprise, de sembler faire un amalgame. Et puis cette révolution, c'est un événement heureux, je ne voudrais pas assombrir la conversation en évoquant la catastrophe. Pourtant, c'est bien la même chose qui se passe au Japon. J'apprends que Rebecca Solnit a consacré un ouvrage, *A Paradise Built in Hell : The Extraordinary Communities That Arise in Disaster*, à cette communauté presque utopique qui surgit après les grandes catastrophes. Elle le décrit comme un phénomène universel. Je n'ai pas réussi à me procurer le livre, mais il rapporte semble-t-il des comportements similaires aux États-Unis, cette solidarité spontanée, cet étrange bonheur de l'entraide qui se manifeste après une inondation, un tremblement de terre ou une attaque terroriste, quand quelque chose comme un sentiment d'égalité s'installe face au désastre auquel tout le monde est confronté.

Être dans l'intensité de l'écriture, cela doit être un bonheur pour un écrivain. Cela devrait l'être. C'est la première fois que l'intensité de l'écriture n'est pas pour moi un bonheur mais une douleur que je m'impose. C'est la première fois, et je regrette de devoir faire l'expérience de cette intensité-là.

Je me demande tout de même, depuis plusieurs jours ; et dans ce cas, pourquoi écrire ? Qu'est-ce que je suis en train de mettre sur le papier, et qui s'affiche sur mon écran ?

J'aurais très bien pu rentrer de Phnom-Penh le jour du tremblement de terre. J'étais au Cambodge peu de temps auparavant et j'ai failli prendre un vol de retour pour le 11 mars. J'aurais appris la nouvelle en transit, à Taipei.

À Phnom-Penh, les rues sont animées, la foule se presse de partout, les voitures et les pousse-pousse se frayent un chemin au milieu des passants. Il semblerait que cette ville ne sera jamais vide. Même impression sous un autre angle, à Beyrouth. Les buildings modernes se dressent sur la corniche, avec leurs boutiques de luxe et leurs grands hôtels.

Nous, étrangers qui n'y vivons pas au quotidien, nous associons à ces villes une image liée à notre perception historique, une image de villes dévastées, de villes qui ont connu le malheur. Tandis qu'en superposant tous les jours une petite couche de la vie qu'ils y mènent, les habitants modifient peu à peu leur image de la ville. Ou plutôt, l'image du désastre qui était là, si nette, devient de plus en plus floue, recouverte par d'autres images.

Si l'on n'y habite pas, la ville n'est rien d'autre qu'une somme d'images immobiles, abstraites, que le temps qui passe ne parvient pas à modifier. Une seule image.

Bien sûr, Phnom-Penh n'est pas prête d'oublier son passé ; mais aujourd'hui, une large majorité de sa population n'a pas la trentaine, les habitants sont pour la plupart nés après la guerre et le drame khmer. Cette histoire ne leur appartient qu'en tant qu'histoire rapportée, racontée, et non vécue. J'essaie d'imaginer ces gens auxquels on plaque l'image d'un passé dramatique qui ne leur appartient pas vraiment. Jusqu'à quand cette ville, ces villes, seront-elles perçues de cette façon ? Quand l'oubli commence-t-il à opérer ?

Pourvu que cette catastrophe ne ternisse pas l'image de Tokyo. Ou peut-être qu'il est déjà trop tard et que la ville est déjà souillée de façon irréversible ?

La cuisine japonaise contient beaucoup d'algues. C'est excellent pour la santé parce qu'elles sont riches en iode. Or voilà que les gens se mettent à en acheter des quantités astronomiques, croyant se prémunir contre les radiations. La mauvaise blague.

Très vite, on apprend qu'une fois la mer polluée, les algues ne retiennent pas seulement les particules radioactives, elles les condensent.

Lecture et table ronde dans l'amphithéâtre de l'université Paris VII. Il y a du monde. En général, ce genre de manifestation n'attire pas beaucoup de jeunes. Aujourd'hui, il me semble voir une proportion importante d'étudiants. Il règne une drôle d'atmosphère. Le public est venu écouter de la poésie, mais nous qui lisons avons bien du mal à faire comme si de rien n'était.

Avant de se mettre à lire, Ishii explique en quelques mots qu'il avait choisi ses textes bien avant le séisme, tout à fait au hasard.

Il a raison de le dire. En même temps, je ne peux pas m'empêcher de penser que ce n'est pas un hasard.

Il m'est arrivé à moi aussi d'être gênée par ce genre de coïncidence. L'année dernière, nous avons créé une pièce sonore avec Eddie Ladoire, plasticien et compositeur, que nous avons jouée en tournée. Je m'étais intéressée à la grande inondation de mélasse qui s'est produite à Boston le 15 janvier 1919, faisant 21 morts et 150 blessés. C'est une citerne de la distillerie – 15 mètres de haut sur 27 mètres de diamètre, pouvant contenir jusqu'à 8 700 000 litres de mélasse – qui s'est écroulée.

L'incongruité de la catastrophe m'avait intriguée, mais aussi, je voulais réfléchir à une manière de décrire la veille d'une catastrophe.

En principe, on ne peut décrire une catastrophe que rétrospectivement. On ne peut pas savoir à l'avance qu'elle va se produire, sans quoi il n'y aurait pas de catastrophes du tout.

Dans ce cas précis, il se peut que les Bostoniens aient été avertis par l'odeur de mélasse que dégageait la citerne endommagée. Les documents rapportent que les habitants venaient se fournir directement à la brèche d'où s'écoulait la mélasse. Une veille peut-être plus sensible que d'autres.

Je voulais essayer de décrire cette atmosphère palpable et néanmoins indéfinissable de la présence de quelque chose qui n'existe pas encore.

J'ai achevé ce texte le 27 février 2010 et je l'ai intitulé tout simplement « La Veille ».

Le lendemain, la tempête Xynthia s'abattait précisément sur les régions où était programmé notre concert-lecture.

Tatsuhiko Ishii fait sa lecture ; en voici un extrait :

« Si simple de décimer les hommes ! Il suffit que la Terre bouge (juste un peu)

Vivre humblement et mourir comme un vers – à peine le temps de pousser un petit cri

Mais tu sais bien, toi-même ! Ce sont les hommes qui sont le plus à redouter (eh oui !)

L'humanité a-t-elle (déjà) péri ? La mer écume. La terre s'ébranle. Pendant un moment »

Pourquoi ce hasard se produit-il ? Et d'ailleurs, s'agit-il vraiment de hasard ? Je ne veux pas dire que les poètes peuvent prédire les catastrophes, bien au contraire. Il n'y a pas de lien de cause à effet. Seulement, les catastrophes, innombrables, naturelles ou humaines, viennent à se produire dans le monde, et en ce sens, si l'on n'est pas après une catastrophe, c'est qu'on est avant une autre catastrophe.

Quant aux écrivains et aux artistes qui sont travaillés par cette problématique, il n'est pas étonnant que leurs créations, leur pensée, précèdent immédiatement ou coïncident avec une catastrophe.

Cette pièce sonore, « La Veille », il se trouve qu'Eddie l'a mise en ligne et que je l'ai postée à mon tour sur Facebook, le 10 mars 2011. Pile. Ce sont des choses qui arrivent. Ce qui importe, ce n'est pas de se laisser surprendre par le hasard ; ce genre de coïncidence n'a, en soi, rien à nous dire.

L'important, quand on s'interroge sur « ce qui est possible après une catastrophe », question maintes fois posée de par le monde, c'est d'avoir à l'esprit que l'on est aussi à la veille d'autres catastrophes à venir, donc qu'il faut également s'interroger sur ce que l'on peut écrire avant une catastrophe, ou entre deux catastrophes, qui est l'état permanent dans lequel nous vivons.

Ishii dit qu'il ne pourrait pas écrire de tanka sur un tremblement de terre. Cela me fait comprendre une chose : on peut écrire, peut-être, sur les catastrophes – mais après. Écrire un poème après, c'est sans doute possible. Pas pendant. Je serais incapable d'écrire un poème pendant.

Je le comprends aussi ; ce que je suis en train d'écrire, ce n'est pas de la littérature.

C'est un « rapport ».

Je dresse un rapport, le plus sincère possible.

Face aux images du tremblement de terre et du tsunami, ce qui m'est revenu en mémoire, c'est aussi bien des souvenirs littéraires que des images de la télévision. Un passage de *Bruine de nuage*, de Tanizaki, qui décrit la grande inondation de Hanshin en 1938. L'image aussi d'un personnage marchant au bord des rails, dont je n'ai pas retrouvé tout de suite de quel texte il provenait. Un ami me rappelle qu'il s'agit d'une scène de *Chez Nire* de Morio Kita, qui évoque à un moment le grand tremblement de terre qui a frappé la région de Tokyo en 1923. Le personnage, qui se trouvait à

Hakoné, à une centaine de kilomètres de là, rentre à Tokyo à pied. Cécile Sakai me parle aussi d'une nouvelle de Tanizaki dans laquelle un personnage est hanté par l'image d'un grand séisme, sur le mode onirique.

Pendant la table ronde et le dîner qui s'ensuit, le malaise est palpable. Chacun garde un œil sur son téléphone portable, « au cas où » il y aurait du nouveau. Une secousse à Shizuoka, magnitude 6. C'est plus près de la région où habitent mes parents. J'essaie de les joindre, sans succès. Panique.

Aux inquiets, Tatsuhiko Ishii rétorque, sur le ton de la plaisanterie : « Si l'empereur quitte Tokyo, c'en sera fini de nous. »

L'empereur comme compteur Geiger.

Quelques heures plus tard, je parviens enfin à les joindre. Ils sont d'un calme incroyable. Il n'y a que moi, dans la distance, qui me montre aussi fragile, quand ce sont eux qui sont aux prises avec l'événement.

Curieusement, je me sens envahie par la même sensation que dans les mois qui ont précédé la mort de mon grand-père. C'était la personne au monde qui m'était la plus chère. Il était très malade et nous savions que la fin était proche. Habitant à Paris, je me demandais quand partir au Japon pour arriver « à temps », mais en un sens je redoutais de rentrer, comme si cela risquait de hâter sa mort. C'était de l'ordre de la superstition mais c'est comme ça, j'attendais à Paris, en vivant mon quotidien, dans l'angoisse.

Sensation de vivre la veille sans vouloir se l'admettre.

On voudrait que cela n'arrive pas mais l'attente est à ce point insupportable qu'on en vient presque à désirer que la chose se passe, pendant qu'on ferme les yeux très fort.

À moins de pouvoir rembobiner le temps.

Le 16 mars

Il neige dans le nord.

Annonce de l'empereur à la télévision, pour apaiser les angoisses du peuple.

Ishii me dit : « Tu as vu la tête qu'il a, avec ses joues enflées ? Il paraît qu'il est sous traitement pour sa maladie, ça fait un moment que ça dure. Et dire que l'empereur, venu souhaiter la renaissance du Japon, est lui-même très malade, c'est significatif. » Cécile Sakai ajoute : « S'il lui arrive quelque chose, c'en sera fini du pays. » Ce n'est pas qu'ils révèrent l'empereur inconsidérément ; ils savent quelle est son influence objective sur les Japonais.

Le corps du roi. Il a intérêt à être opérationnel en cas de crise. Après le tremblement de terre de Hanshin-Awaji, l'impératrice était arrivée avec des narcisses du palais pour les déposer sur le lieu du sinistre.

Ces jours-ci, j'entends des gens dire que si l'empereur se rend à Fukushima, la centrale cessera peut-être de cracher le feu, comme par miracle.

Je sens que le Japon est en train de virer. De pauvre victime qu'il était, le voilà qui prend des allures de fauteur de trouble avec ses putains de centrales nucléaires (et voilà, c'est la première fois que j'emploie le mot « putain » dans un texte; mais je crois que c'est le mot). Il y en a marre d'entendre parler de ce pays. Je conçois que les étrangers en aient leur dose, en effet, eux qui n'ont rien à voir dans l'affaire, comme nous n'en pouvons plus des réactions du personnel de Tepco, acteur de cette catastrophe humaine. Ras-le-bol de cette angoisse.

Quelqu'un m'explique que, pendant ce temps, Kadhafi profite de la diversion pour regagner du terrain. C'est absolument vrai. Et je dois dire, toutes ces pages qu'occupe le Japon dans les journaux, je les céderais volontiers au reste du monde.

Eika, qui est rédactrice, m'envoie un mail de Tokyo. Au moment du tremblement de terre, elle était en compagnie d'un poète que j'ai traduit, Gôzô Yoshimasu. Il répondait à un entretien pour une revue, dans un café.

À peine l'entretien commencé, tout s'ébranle. Le café, une ancienne maison traditionnelle reconvertie, crisse fort, la rédactrice croit que le plafond va s'effondrer. Les clients s'enfuient, le chat se terre sous le canapé.

Mais Gôzô, avec un calme olympien, poursuit l'entretien dans la secousse de la réplique. Son sourire tremblé par la secousse, dans la lumière douce de l'après-midi, lui a fait peur, dit-elle. On aurait dit qu'il prenait des mesures, qu'il sondait quelque chose, devenu lui-même tout entier antenne. Il est sans doute le seul capable de composer mille vers à partir de cela. Poète-monstre.

Une amie à Tokyo me dit qu'elle sent bouger la terre même quand ça ne bouge pas.

Le poète Ryoïchi Wagô, qui habite une ville sinistrée, poste sur Twitter : « Les disparus ne sont administrativement disparus qu'une fois fournie la "déclaration de disparition". Que deviennent-ils, ces disparus qui n'en n'ont pas le statut parce que la déclaration n'a pas été déposée ? »

Message d'une amie, Akiko, qui travaille dans l'édition. Les usines à papier des villes d'Ishinomaki et de Hachinohe sont entièrement détruites. Ces usines assuraient à elles deux un rendement considérable, alors les éditeurs sont en rupture de stock ; on ignore jusqu'à quand ils pourront faire paraître les périodiques. Ils sont aussi forcés de réduire le nombre de titres et même les tirages, faute de papier. S'ils ont du mal à publier de nouveaux ouvrages et que les retours de librairie se multiplient dans le nord, certains risquent de faire faillite.

C'est la première fois qu'elle est confrontée à cette impossibilité de fabriquer des livres par manque de papier.

Cela ne s'était pas produit depuis la Seconde Guerre mondiale.

Je comprends de mieux en mieux pourquoi j'écris. Me voici devenue chroniqueur au sens premier du terme, comme autrefois les chroniqueurs de guerre, les chroniqueurs d'un règne. Ils fournissaient une description la plus précise possible pour autant qu'ils ne pouvaient être au plus près de leur sujet qu'en étant séparés de lui. Le nom de l'auteur peut disparaître, ce qui compte, c'est de rapporter tout ce que je peux comme traces de l'événement. Je ne cherche pas les belles phrases, je me l'interdis.

À mesure que le temps passe, je suis aussi de moins en moins sûre de pouvoir offrir une issue heureuse à cette histoire. Je m'aperçois que je ne peux plus, en tant qu'auteur, agir sur la matière – provoquer une issue heureuse, je le voudrais tant ! –, mais simplement décrire les faits sans les infléchir.

Un appel. Deux amies françaises qui ont de la famille au Japon. Elles sont abasourdies. Elles n'arrivent pas à comprendre comment les Japonais peuvent continuer à travailler dans ces conditions. Leur réaction est la même : quand c'est sa vie qui est en danger, le travail n'a plus aucune importance ; il faut cesser le travail et sauver sa peau !

Je me dis que si cela arrivait en France, cela se passerait sans doute ainsi, et alors toutes les infrastructures seraient inopérantes, sans parler du personnel des centrales.

J'essaie de leur expliquer cela, que si tout le monde s'enfuit, ce sera la fin de la société, qu'à Tokyo en particulier, cela provoquerait une nouvelle catastrophe. Mais je ne suis pas si sûre de moi. Certes, il faut que les hôpitaux, les transports en commun et les autres services publics continuent de fonctionner, mais les gens ? Les salariés du privé, surtout avec des enfants, est-ce qu'ils ne devraient pas s'éloigner pendant un moment ?

Mes amies françaises, je les comprends. Leurs proches n'ont pas l'intention de quitter Tokyo parce qu'ils ont fondé une famille sur place, avec des Japonais. Elles voudraient que leur belle-famille japonaise cesse le travail et s'enfuie, de préférence en France.

L'une d'elles, qui dit beaucoup aimer sa belle-fille, ne peut se retenir de glisser : « Si mon fils n'était pas avec une Japonaise… »

Il est vrai qu'alors, son fils n'aurait pas été touché à ce point par la catastrophe. Je me sens coupable.

Une amie qui habite à Paris est en larmes. Elle pleure en songeant au sort de sa petite sœur restée à Tokyo. Elle dit qu'elle ne pourra peut-être pas avoir d'enfant, si la situation s'aggrave. Je pense qu'en l'état actuel des choses, on n'en est pas encore là, mais qui sait ?

Dans l'après-midi, je sors. Je vois les gens marcher dans la rue comme si de rien n'était. Normal, il ne leur est rien arrivé. J'ai presque envie de les arrêter pour leur demander s'ils ont conscience de la chance qu'ils ont. Mais je sais bien que je ne suis pas dans mon assiette, comme beaucoup de Japonais à Paris.

C'est vrai que certains se demandent s'il faut fuir. Certains Japonais font le parallèle avec les Juifs d'Europe qui n'ont pas fui devant la montée du nazisme parce qu'ils avaient des attaches, un travail, ou parce qu'ils n'avaient pas pris la mesure de la situation. La comparaison ne me dit rien qui vaille mais, étant à l'étranger, je m'abstiens de tout commentaire.

La communauté internationale met en place le contrôle des passagers et des aliments en provenance du Japon. L'image de l'alimentation japonaise, réputée pour sa qualité, en prend un coup.

Affaiblies par la catastrophe, les entreprises se voient contraintes d'annuler les recrutements récents.

La mère de ma belle-sœur, Chinoise de Shanghai, est hospitalisée suite à une crise cardiaque. Mon frère cherche un billet d'avion pour Shanghai, tous les vols sont surbookés. Lulu, ma belle-sœur, est désespérée. Je lui propose, s'il reste des vols pour Paris, de venir passer quelques jours en terre ferme le temps de trouver un Paris-Shanghai, qui devrait voler normalement.

À mes parents aussi je propose de venir prendre une ou deux semaines de « vacances ».

Mon père refuse. Il sera le dernier à fuir. En qualité de conseiller responsable du département des « risques », il joue le capitaine du *Titanic*.

En réalité, quand je m'interroge sur ce que j'aurais fait moi-même si j'étais à Tokyo, il n'est pas certain que j'aurais quitté le Japon. Si j'avais déjà un voyage programmé avant le séisme, comme c'était le cas du poète Ishii et des chercheurs japonais attendus à Paris pour le colloque de vendredi, je serais partie. Sans cela, je serais restée.

Ne surtout pas culpabiliser ceux qui sont partis, ni ceux qui sont restés. Ceux qui restent comme ceux qui partent ont leurs raisons, et leurs cas de conscience.

Le 17 mars

La radio diffuse un reportage sur le marché de Sendaï. Une femme qui vient de réussir à se procurer des légumes s'exclame : « Merci à tous ! », « C'est un bonheur ! ». Sans doute de quoi surprendre les Français.

Mais il peut aussi s'agir de censure dans les médias. Quelqu'un témoigne sur Twitter qu'après le séisme de Hanshin en 1995, un sinistré à qui la télévision demandait ce qu'il rêvait de manger avait répondu : « De la viande grillée ! » Dans l'émission, il ne restait plus que : « Une boulette de riz ferait mon bonheur. »

Je poursuis ma recherche de textes japonais qui parlent de catastrophe. La liste est si longue que l'on pourrait immédiatement constituer une anthologie du séisme dans la littérature des années 1920.

Il est vrai qu'à l'époque, la frontière n'était pas si nette entre les métiers d'écrivain et de journaliste. Il arrivait souvent que les écrivains soient recrutés dans la presse, où ils trouvaient naturellement à s'exprimer, dans des essais, sur les événements.

Il y a aussi ce caractère inéluctable que, dès lors qu'un roman se déroule sur une période un peu longue, comme *Bruine de neige* et *Chez Nire*, qui s'étendent sur plusieurs décennies, les personnages sont confrontés à une catastrophe. Conséquence implacable de la réalité du pays.

J'ignore à quel point les écrivains en étaient conscients, mais ces textes offrent beaucoup plus que de simples notations sur le vécu des catastrophes. Comme ces passages lus dans des romans qui me sont tout à coup revenus, la peur, l'angoisse, le désarroi qui s'ensuit, je les ai appris dans ces écrits, qui en sont venus à constituer en moi une mémoire de la catastrophe.

À vrai dire, j'avais songé à écrire sur une catastrophe. Cette pièce sonore sur « La Veille » dont j'ai composé le texte, je comptais en faire un livre. Je voulais décrire toutes les vies vécues dans la ville de Boston à la veille de la grande inondation de mélasse de 1919. Je le ferai peut-être un jour, pourquoi pas. Mais si j'en ai eu d'abord le projet, c'est surtout que cette catastrophe ne m'appartient pas. Elle appartient au passé et l'on sait ce qu'il en est advenu depuis de la ville de Boston. Jamais je n'aurais imaginé écrire sur « notre » catastrophe.

Je pense aussi à la temporalité propre aux récits de catastrophes, comme convention littéraire. À cette règle d'or qui veut qu'on les décrive toujours rétrospectivement. On ne peut pas débarquer la veille.

En même temps, quand plusieurs catastrophes se superposent comme aujourd'hui, on est à la fois avant, après et même pendant la catastrophe. D'autant que, comme dit le philosophe Osamu Nishitani, l'accident nucléaire, une fois qu'il s'est produit, on n'en est qu'au début. Début d'une déréliction elle-même cause de catastrophe.

Alors maintenant, à quel temps grammatical faut-il décrire cette succession de catastrophes ?

Et à quel temps achever la description ?

À cette question difficile, je n'ai pas encore de réponse. En optant pour la forme de la chronique, je me soumets à un temps déterminé, qui ne vaut peut-être que dans ce cas précis : le présent. Il y a aussi que le sentiment qui domine, c'est que l'on est toujours « dans » la catastrophe, même s'il se mêle à cela, comme je l'ai déjà écrit, des visions rétrospectives et des inquiétudes projetées vers l'avenir, qui peuvent se réaliser ou pas. Un écrivain qui veut raconter une catastrophe, quelle temporalité doit-il choisir ? Et avant même d'en venir à la narration ou à la description, à quel temps grammatical le vit-on, ce moment ?

Tout discours sur la catastrophe est fatalement lié à, voire hanté par, la question du temps. Depuis que je l'ai découvert, ce lien lancinant m'apparaît dans presque tous les écrits sur les catastrophes, quel qu'en soit le genre.

L'article de Christine Montalbetti dans le « Libération des écrivains » est émouvant. Elle a le courage de parler d'espoir, des prémices du printemps à venir, qu'elle a pu observer à Kyôto où elle est arrivée six jours avant le séisme. Elle dit aussi : « Les Japonais que je rencontre pourtant m'invitent avec une douceur souriante à profiter calmement de mes moments là-bas. Je ne crois pas qu'il s'agisse, comme je l'entends dire depuis, de fatalisme (je n'entends personne dire que si cela doit arriver, cela arrivera). »

Dans mon article paru dans la même édition, j'ai justement écrit le contraire, que les gens pensent que ce qui devait arriver est arrivé, que leur tour allait venir. Les deux sont vrais. Face aux étrangers, nous ne voulons pas déranger, ajouter au malaise. D'ailleurs, comme le remarque justement Christine, ce n'est pas être fataliste que de penser que « ce qui devait arriver est arrivé » ou « ça va être mon tour ». C'est un peu comme une personne atteinte de handicap, ou d'une maladie incurable. On fait avec, on vit avec. Quand les moments de crise laissent un peu de répit, on a bien le droit de rire, de se distraire. Cela n'empêche pas d'anticiper de nouvelles crises, et de souffrir beaucoup, quand elles surviennent.

Les départements épargnés offrent des places d'hébergement dans les logements sociaux disponibles. Ils se disent prêts à accueillir les élèves dans leurs écoles de quartier.

Les refuges proches de la région du sinistre ont atteint les limites de leurs capacités, 200 000 sinistrés pour plus de mille lieux d'accueil. Certains malades transférés depuis les hôpitaux décèdent. Si cette situation persiste, il y aura d'autres victimes, du froid et des épidémies.

Je parle avec mon frère, qui a réussi à rejoindre Shanghai avec ma belle-sœur. Des amis leur ont cédé leurs billets. Sa mère s'en est sortie de justesse, elle est toujours à l'hôpital.

Mon frère critique l'attitude de notre père. Il l'accuse d'adopter la posture des dirigeants d'entreprise qui ne pensent qu'au profit, même au prix du malheur des autres, au détriment de la santé de leurs employés. Selon lui, il faudrait imposer aux salariés de consommer leurs congés payés, surtout à ceux qui ont des enfants en bas âge. Parce que si cela ne leur est pas imposé, beaucoup n'oseront pas partir. Bien sûr, l'idéal serait que les cadres appliquent les mesures d'exception pour autoriser les absences, mais compte tenu du fonctionnement des entreprises japonaises, c'est totalement irréaliste. Qu'ils permettent au moins à ceux qui voudraient partir de consommer leurs congés payés ! Mais même cela ne va pas de soi sans arrangement préalable, au moins un mois à l'avance.

Mon frère, employé dans une entreprise d'import-export de papiers d'art, a suggéré à son directeur de cesser le travail pendant une semaine, car, de toute façon, les clients étrangers ne veulent pas d'une marchandise qui pourrait être contaminée. Ils préfèrent attendre de pouvoir vérifier la sûreté du produit. Évidemment, le directeur a refusé.

Selon mon frère, le calme apparent des Japonais n'est que le reflet de leur aveuglement : « Ils n'ont aucune conscience de ce qui est en train de se passer. »

Je me souviens d'une conversation que j'avais eue avec mon frère en 1995, je ne sais plus à quel moment exactement. Ce fut une année difficile pour le Japon. 17 janvier : tremblement de terre à Hanshin-Awaji. 20 mars : attentat terroriste perpétré par la secte Aum, gaz sarin diffusé dans le métro – 13 morts, 6 300 blessés. Mon frère était déjà partiellement basé en Chine. Je me préparais à partir pour la France, j'étais en première année de doctorat à l'Université de Tokyo. Mon frère et moi, qui n'avions pas plus confiance en l'État japonais qu'en un autre, nous pensions qu'il fallait partir, pour pouvoir nous rassembler en famille, en France ou en Chine, s'il arrivait quelque chose au Japon. Pour la plupart des Japonais de l'époque, c'eût été une idée absurde. La Chine n'était pas parvenue à cette expansion économique qu'on lui connaît aujourd'hui, et les Japonais étaient certains de vivre dans le pays « le plus sûr au monde ». Du point de vue de la sécurité des personnes, c'était vrai, et c'est encore vrai aujourd'hui. Le projet que nous formulions, mon frère et moi, tenait un peu du plan qu'élaborent les habitants d'États instables, ou pauvres. On éparpille les membres de sa famille partout dans le monde. On partage le risque. On dépose sa fortune sur trois comptes différents, en dollars, en euros et en monnaie locale. Ce mode de fonctionnement, réflexe de survie commun aux habitants de nombreux pays, était inconnu des Japonais.

Et voici que je propose à ma famille de venir me rejoindre en France.

J'aurais voulu que cela ne se produise jamais.

À l'époque, bien sûr, nous n'étions qu'à moitié sérieux. Nous n'étions pas pessimistes, encore moins alarmistes, et l'idée d'être de « petits immigrés » nous amusait plutôt, même si le statut d'immigré n'est pas toujours agréable. Les Japonais qui partent vivre à l'étranger ne se pensent pas et ne se disent pas immigrés. Notamment s'ils sont riches : « Nous ne sommes pas comme ces pauvres immigrés... » C'est surtout qu'ils supposent toujours que ce sera provisoire et qu'ils finiront par rentrer au Japon. Ce sont pourtant bien, au sens strict, des immigrés. J'ai voulu quitter le Japon et devenir immigrée pour pouvoir faire l'expérience de l'aliénation, du déracinement, me libérer du joug du pays natal comme peuvent le faire les étrangers au Japon. C'est une chose qu'il faut avoir vécue pour le comprendre.

On me rapporte que la radio française a diffusé plusieurs interviews dans lesquelles la traduction énonçait le contraire de ce que disaient les Japonais interviewés. Je ne les ai pas entendues moi-même et je ne sais pas ce qu'il en est vraiment. Mais j'ai effectivement entendu plusieurs journalistes jouer au héros. À propos de l'un d'eux, un ami spécialiste de bande dessinée et de manga, Takanori Uno, me dit : « Il vaudrait mieux qu'il change de métier, celui-là. Il pourrait laisser s'exprimer son talent comme scénariste de science-fiction dans la bande dessinée ! »

Toutes les catastrophes naturelles entraînent des catastrophes humaines. Mais cette fois-ci tout particulièrement, nous assistons au revirement d'une catastrophe naturelle en catastrophe humaine, celle des centrales nucléaires.

Je me demande ce qui est le plus cruel, de mourir dans une catastrophe naturelle ou dans une catastrophe humaine. Mourir dans un tsunami ou sous l'effet des radiations ? Je préfère de loin la catastrophe naturelle. D'accord, toutes les morts sont terribles quelle qu'en soit la cause, mais en détruisant tout sur son passage, la catastrophe naturelle n'est pas animée par la haine.

La catastrophe humaine tue par bêtise, par ignorance, elle discrimine les individus et je ne veux pas de cette mort-là, que l'on aurait pu, toujours, éviter.

Ceux qui ont fui Fukushima font déjà l'objet de discriminations, paraît-il. Dans les départements mitoyens, ils sont reçus comme des pestiférés.

J'apprends que dans le centre de rétention administrative de Shinagawa et dans celui d'Ushiku, département d'Ibaragi, les détenus ont été enfermés à clef – une aberration en cas de secousse. Il s'agirait d'une consigne interne. En tous les cas ce n'est pas la loi. La loi autorise à libérer les détenus pour les évacuer en lieu sûr. Il semble même que certains quartiers de la prison n'aient pas été tenus informés du tremblement de terre. Ils ont subi la secousse, la peur, sans avoir d'explication. Les gardiens, eux, portaient un casque; pas les détenus.

Il ne s'agit pas de criminels; juste de sans-papiers. À Ushiku en particulier, ce sont des rescapés de toute espèce, victimes de persécutions dans leur pays d'origine, réfugiés arrivés alors qu'ils étaient mineurs, pères de famille…

Une interview de Kenzaburô Ôé paraît dans *Le Monde* d'aujourd'hui. Il insiste sur le fait que « récidiver, en faisant preuve avec les centrales nucléaires de la même inconséquence à l'égard de la vie humaine, c'est la pire trahison de la mémoire des victimes d'Hiroshima ». C'est vrai. Il a raison de le dire. Et pourtant. J'aurais souhaité que le nom de Fukushima ne figure pas à côté de celui de Hiroshima. Parce que ça y est, c'est déjà trop tard, la superposition est en train de s'accomplir. En un sens, comme le dit Ôé, cela peut nous aider à comprendre ce qu'ont vécu les populations de Hiroshima et de Nagasaki. Mais je crains surtout que cela ne pénalise les gens de Fukushima, sans qu'opère la réflexion qu'il appelle de ses vœux. Ce télescopage, je le savais inéluctable. J'aurais souhaité simplement, irrationnellement peut-être, qu'il ne se produise pas tout de suite.

L'image de Pakistanais offrant du curry aux sinistrés. Quelques-uns parlent très bien le japonais, sans doute des résidents. Je me souviens de ce que j'ai mangé à Peshawar. Je suis sûre que ce curry, offert aux sinistrés, était bon.

Un archiviste publie en ligne des descriptions datées du 18 et du 22 novembre 1703. « Hier, une boule de feu tombée du ciel s'est abattue sur le quartier de Yotsuya »; (à Nagoya) « on entend au loin une détonation. On découvre ensuite qu'il s'agit d'un objet brillant ». Le 23 novembre 1703, un grand tremblement de terre secoue le département de Kantô : 37000 sinistrés, 8000 maisons détruites.

Une autre description du 3 octobre 1707 rapporte (à Nagoya) « une lumière entre les nuages, comme un éclair ». Une grande secousse le lendemain, suivie d'un terrible tsunami.

Le 18 mars

Les discours ressemblent à ceux que l'on entendait pendant la guerre.

L'espoir d'une amélioration à Fukushima fait se relâcher les tensions. J'ai eu sommeil toute la journée et je me suis recouchée. Je ne comprends pas, j'ai pourtant dormi sept heures la nuit dernière. Mais en fait, non. Cela va faire une semaine que je ne dors pas vraiment. Rivée à la télévision jusqu'à deux heures du matin et levée à cinq. Réveillée par l'angoisse, j'allume mon ordinateur pour avoir des nouvelles.

Je croise par hasard Junko, une ancienne collègue, dont la famille est à Ishinomaki. J'étais inquiète pour sa famille mais je n'avais pas osé appeler. Elle reste calme. Pourtant ses parents se retrouvent dans un hall d'école et sa maison a dû subir de graves dommages. Elle dit : « Mon père a déjà vécu un tsunami après le tremblement de terre au Chili. Il doit savoir mieux que personne ce qu'un tsunami peut faire comme dégâts. »

La une a basculé du Japon vers la Libye, signal d'un changement de situation. Il me semble percevoir chez certains Français plus de déception que de soulagement, particulièrement parmi les spécialistes du nucléaire. Il y a ceux qui sont demandeurs de drame pourvu que cela ne se passe pas chez eux ; les spécialistes semblent regretter de ne pas pouvoir pousser l'expérience jusqu'au bout.

Je suis sévère, je sais. Mais cet appétit du drame, que je rencontre même chez les Japonais, m'apparaît dans toute sa violence. La télévision japonaise se repaît d'interviews inhumaines avec les sinistrés, comme une bête se jette sur sa proie. N'étant pas à Paris aujourd'hui, je ne pourrai pas les voir, et c'est tant mieux. Il y a même des Japonais pour écrire dans la presse que cette catastrophe donne au pays la chance d'un nouveau départ. Combien faudra-t-il de morts, combien de villes détruites, chacune avec son histoire, partie en fumée ?

Je ne prétends pas être plus sage qu'une autre, ni plus raisonnable. Mais ce drame-ci, merci, je m'en serais bien passée. Vive la banalité, l'ennui, peut-être, du quotidien, les problèmes d'une société vieillissante et de la récession. Les amateurs d'état d'urgence me font frémir.

Tous les pays peuvent faire la une des journaux, pourvu que ce soit dans le malheur. D'où, chose exceptionnelle, une certaine réticence de la presse face à la révolution en Tunisie et en Égypte. Il faut à tout prix trouver quelque chose qui ne va pas, sans quoi ce n'est pas crédible.

Le poète Ryôichi Wagô continue d'écrire, depuis son appartement sinistré de Fukushima, où il est resté seul, sa famille s'étant réfugiée dans un lieu d'accueil, une sorte de poème en prose par fragments qu'il intitule « cailloux de poèmes » et qu'il écrit deux heures durant sans s'interrompre. « L'un de mes grands-pères est mort en Sibérie, au Goulag. Je voudrais aller retrouver en Sibérie le lieu où il a poussé son dernier soupir. Aujourd'hui encore, on découvre de nouveaux cadavres parmi les décombres, sur les plages [...]. À mon grand-père mort en Sibérie. As-tu cédé dans la mort à l'enfermement sibérien ? Ou as-tu accepté ton destin ? Enfermé dans le champ radioactif, je pense : donne-moi la pensée. Donne-moi la pensée du plein hiver, que tu as conquise avec ton corps. »

J'ai écrit il y a quelques jours qu'il était impossible de faire de la littérature pendant une catastrophe, que cela n'était possible qu'« après ». Pourtant Ryôichi Wagô vit sûrement « pendant » la catastrophe. J'ignore si ce qu'il est en train d'écrire est un poème. Je ne parle pas de la qualité, bien sûr, je m'interroge sur la nature du texte qu'il produit : peut-on parler de littérature ? Au demeurant, il le désigne lui-même instinctivement depuis le début comme « cailloux de poèmes ». Mais une chose, du moins, est sûre : il s'agit bien d'un acte littéraire.

Beaucoup de gens disent que ça bouge encore. Quelqu'un dit qu'on a la tête qui secoue.

Une amie japonaise a reçu de nombreux appels de ses amis français qui la conjurent de quitter Tokyo. L'un d'eux a même pleuré au téléphone, depuis sa ville de province française. Elle est restée.

La discrimination se durcit à l'encontre des habitants de Fukushima. Les véhicules de secours ne veulent plus s'aventurer dans les parages, les denrées de base viennent à manquer. Dans certains départements, on va parfois jusqu'à refuser le parking aux voitures immatriculées à Fukushima ou à Miyagi.

Les coupures de courant sont fréquentes dans les départements alentour, mais pas au centre de Tokyo. Cela peut se comprendre, mais on ne peut pas blâmer ceux qui dénoncent le fait que la périphérie pâtisse de l'arrêt de la centrale de

Fukushima, quand c'est Tokyo qui bénéficiait de l'électricité qui y était produite.

Le 19 mars

Anne Sakaï, professeur à l'Inalco, prédit une baisse des inscriptions en japonais à l'Université.

Julien Faury, jeune chercheur avec qui j'ai travaillé comme interprète dans un colloque aujourd'hui, et qui est par ailleurs enseignant au lycée, se dit agacé par la tendance qu'ont ses élèves à penser que les Japonais s'attendent aux catastrophes. Il leur a demandé s'ils ne seraient pas tristes, eux, après un accident de voiture, alors qu'ils sont conscients des dangers de la route.

Sumié Térada, spécialiste de poésie médiévale japonaise, me raconte l'histoire d'un poète qui employa jadis dans l'un de ses poèmes le verbe « s'écrouler ». Quelqu'un lui fit la remarque que le mot portait malheur et lui conseilla de le supprimer. Le poète suivit ce conseil. Peu après, l'empereur mourut. Le poète se sentit rassuré : « Si j'avais employé le mot “s'écrouler” dans mon poème, on m'aurait certainement accusé d'avoir causé la mort de notre souverain. »

Le problème n'est pas que ceux qui s'expriment sur le Japon se trompent du tout au tout. Ce n'est pas le cas ; il y a même beaucoup de vérité dans ce qui se dit. C'est quand même vrai que nous nous attendons à ce qu'une catastrophe survienne d'un jour à l'autre. Et quand la rédactrice de *Libération* a précisé, par précaution, « on ne sait jamais », de fait on ne pouvait pas savoir. Une nouvelle explosion, le pire était peut-être à venir. C'est encore le cas aujourd'hui. De même, quand la presse étrangère loue le calme, la docilité et la résignation des Japonais. Mais il reste quelque chose après avoir entendu ce genre de discours, comme un petit caillou dans le cœur. C'est là toute la difficulté, toute la subtilité du sujet ; ce n'est pas parce qu'il y a du vrai que cela ne dérange pas. Il est toujours délicat de mettre le doigt là où ça fait mal, plus encore si tout est vrai et qu'il n'y a pas trace de malveillance.

Mon désir d'écrire sur la « veille » persiste. C'est une idée très démodée, ma meilleure amie en littérature en convient. Elle s'étonne même de me voir lancée dans ce projet à la Mrs. Dalloway – que j'aime beaucoup, par ailleurs.

Je n'ai pas pu renoncer à ce désir. D'une part, parce que la « veille », seuls ceux qui ont vécu une catastrophe savent ce que cela signifie, qu'il s'agisse d'un drame personnel, le décès d'une famille dans un accident de voiture par exemple, ou d'une catastrophe collective. Il y a là quelque chose d'intime et de discret qui échappe à la narration d'après-catastrophe.

Et d'autre part, je voudrais pouvoir arrêter le temps à la veille. Je voudrais écrire sur tous ces gens qui ont vécu la veille comme n'importe quel jour, comme moi qui discutais carré Hermès avec un ami.

Si j'arrivais à écrire sur la veille, alors peut-être, à la fin du récit, déviant le cours des choses… ? Je sais bien que cette idée est stupide. Mais je ne peux pas en abandonner le désir.

Mon père me dit qu'en rentrant à la maison pendant les coupures de courant, on ne voit pas ses pieds. À partir de la gare, c'est le noir complet, et pas seulement dans les maisons ; pas un seul réverbère ne fonctionne, alors chacun se débrouille avec une lampe de poche pour éclairer devant soi.

Un jeune philosophe, Ataru Sasaki, écrit que la résistance des livres papier est bien supérieure à celle des ouvrages numériques en cas de guerre. On peut lire dans la tranchée. On peut lire même s'il n'y a pas d'électricité. Sur le moment, j'étais d'accord. L'idée est belle, et puis c'était comme ça, quand j'étais en Afghanistan. Quand il n'y a pas d'électricité le soir, il faut que ce soient des livres papier. Les livres papier, on peut les apporter en main propre, les transmettre clandestinement, on peut même écrire dessus en cas d'urgence.

Mais en cas de coupures de courant programmées, l'argument ne tient plus. Lorsqu'elles s'appliquent à la ville entière, on ne peut même plus lire à la lumière d'un réverbère – à moins de s'éclairer à la bougie, ce qui est tout de même délicat.

Un ordinateur portable, en revanche, est doté d'une batterie qui tiendra le temps de la coupure. Cela permet de lire sans difficulté, même dans le noir complet. Une écrivain, Aki Satô parle sur son blog de la lueur rassurante de son écran d'ordinateur. Georges de La Tour à l'âge du numérique.

Difficile de trouver un sujet de conversation avec les amis japonais. Tout le monde n'a que ça en tête mais personne n'a très envie d'en parler. C'est l'overdose. Quand je parle à un ami du verrouillage des cellules dans le centre de rétention, je le sens agacé. C'est secondaire, dit-il, il n'y a que les activistes pour s'arrêter sur ces détails. Je m'interromps. Bien sûr, chacun a de quoi être préoccupé ces temps-ci, je n'ai pas à lui infliger mes indignations depuis l'étranger. C'est trop tôt. Pourtant, ces « détails » ne disparaîtront pas. Tôt ou tard, ils resurgiront. C'est précisément ce genre de choses qui prépare doucement l'atmosphère fasciste. Le mot est fort, peut-être, mais mon père lui-même, d'ordinaire si critique à l'égard du gouvernement, semble sourd au populisme des louanges officielles aux secouristes. Bien sûr que les secouristes sont admirables, mais c'est une autre histoire.

Je pense à l'accident de Tôkaimura. Un accident de criticité dans l'usine de Tôkai en 1999. Cela s'est produit dans une cuve de décantation, suite à la manipulation d'une quantité d'uranium largement supérieure aux normes de sécurité. Erreur humaine qui provoqua des réactions en chaîne, tuant deux ouvriers et en blessant un troisième.

Les deux ouvriers tués, Husachi Ôuchi et Masato Shinohara, furent hospitalisés respectivement 83 et 211 jours. Certains disent qu'on n'aurait pas dû les maintenir en vie aussi longtemps, que les médecins les ont utilisés comme des rats de laboratoire pour recueillir des données.

Je tombe sur des photos de leurs corps dégradés. Ils n'ont plus forme humaine. J'aurais mieux fait de ne pas les regarder.

Le 20 mars

Au Salon du livre, je retrouve Atiq Rahimi. Je lui dis que je pense à lui depuis le tremblement de terre. En vérité, le voir me fait penser que l'on est dans la même situation. Non pas au sens où l'on serait dans la même situation politique, mais parce que pour la première fois, j'expérimente ce que c'est que d'appartenir à un peuple dont le pays traverse un malheur, sur lequel les étrangers font toutes sortes de commentaires. Et encore, Atiq et moi avons la chance de pratiquer un métier qui nous permet de faire entendre notre voix. Il nous arrive tout de même d'être abasourdis par la violence de ces discours, par ce flux de parole sûr de son bon droit, qui nous réduit au mutisme quand nous aurions quand même notre mot à dire. Bien sûr, les témoins n'ont pas à avoir l'exclusivité de la parole, et d'ailleurs Atiq comme moi-même ne sommes pas les mieux placés pour témoigner, étant à l'étranger, à l'abri de la catastrophe.

Je prends conscience de ce que c'est que de faire l'objet de discours massifs, parfois violents. Je me rends compte surtout que c'est une situation à laquelle il est rare que les Occidentaux, et tous ceux qui, comme moi, viennent de pays développés, soient confrontés. Nous débattons des affaires du monde. Nous parlons de la Révolution de jasmin. Nous avons tous notre opinion sur le sujet. C'est une bonne chose de pouvoir exprimer une opinion sur tout. Nous pouvons même débattre des affaires de notre propre pays. Nous restons les sujets de la parole. Les autres pays, le discours des « autres », ne nous atteignent pas de cette façon. Nous ne sommes pas agressés par ce que les autres disent de nous. Ce que j'ai pu être naïve.

Je fais part de cette impression à Justine, qui me rappelle que nous avions rencontré un sentiment similaire en Iran à la fin des années 1990. « Tu te souviens, chaque fois que nous rencontrions un Iranien, une Iranienne, il s'inquiétait de l'image que nous pouvions avoir de son pays : "Alors, que pensez-vous de l'Iran ? Vous ne pensez pas que nous sommes tous des terroristes, comme ils disent en Occident ?", et puis : "Vous êtes venues de France pour voir ce qui se passe chez nous, c'est extraordinaire !" ». L'inconfort était perceptible à envisager comment on les qualifiait à l'étranger, et la frustration de ne pas pouvoir faire entendre sa voix face à une « opinion internationale » méfiante, voire hostile.

Mais je me souviens aussi comment le regard changeait, quand je me promenais seule dans les rues de Téhéran sans Justine, une Occidentale. Un regard de mépris. On me prenait sans doute pour une Tadjik, pour une Hazara d'Afghanistan. J'étais choquée par la violence de ce regard. Choquée de faire l'objet de mépris et choquée de me voir traitée ainsi incontestablement comme un objet. Choquée, enfin, d'avoir été incapable d'imaginer jusqu'alors ce que c'était d'être une minorité.

Bien qu'asiatique, comme je suis née dans les années 1970, je n'ai connu que l'époque où les Japonais étaient considérés comme faisant partie intégrante des peuples développés. Je suis née autorisée d'emblée à me croire sujet de la parole. Certes, le regard que l'on pouvait porter sur nous à l'extérieur nous intriguait dans les années 1970, époque où pullulaient les livres sur la mentalité japonaise, sur la « japonité » – qui sommes-nous et comment nous sommes vus. Mais quand j'ai commencé à voyager à l'étranger à partir de la fin des années 1980, les Japonais, moi-même, avions bien le statut de sujet du discours, et du regard.

Être une minorité, c'est devenir l'objet des discours, de toutes sortes de discours que l'on peut faire sur vous. C'est être l'objet de ces regards que l'on se sent autorisé à porter sur vous.

Après une telle déferlante de commentaires dans les médias internationaux, le statut du Japon s'en trouvera-t-il déplacé ?

Les travailleurs au bas de l'échelle sociale sont à bout de forces. Un ami qui travaille de nuit dans un entrepôt de supermarché me dit qu'il n'en peut plus. Il est obligé de faire des heures supplémentaires non rémunérées, en plus de quoi il doit quitter la maison plus tôt le matin parce qu'il y a moins de trains que d'habitude. Et quand il arrive que les lignes soient arrêtées, c'est à pied qu'il faut se rendre au travail. Il dit que les travailleurs sont eux aussi des sinistrés de la catastrophe, mais que bien sûr, on ne dira pas un mot de cela.

Certaines entreprises prendront prétexte de la situation. Bientôt, on commencera à voir des CDD licenciés, leurs conditions de travail dégradées. Les sinistrés silencieux.

Quand l'oubli commence-t-il à opérer? De Phnom-Penh et de Beyrouth, nous conservons l'image d'un passé terrifiant. New York est parvenue à se débarrasser de l'image de sa catastrophe, le 11 Septembre. Dans le cas d'une mégalopole de statut international, dont on reçoit régulièrement des nouvelles même à l'autre bout du monde, l'image d'une catastrophe est graduellement recouverte par d'autres images, d'autres nouvelles de la ville, comme si nous vivions un peu de la vie de ses habitants sans y être.

Il en va tout autrement des villes plus éloignées de nous culturellement, ou dont on ne parle pas souvent. Alors, le nom de lieu a tendance à rester associé aux seuls événements qu'on lui connaisse, jusqu'au prochain événement d'ampleur internationale.

Fukushima, nom jusqu'alors inconnu à l'étranger, portera longtemps les stigmates de la catastrophe. Il se peut même qu'il devienne synonyme de catastrophe nucléaire. Poids porté sur le nom propre.

En général, quand on compare une image à une autre, c'est pour aider à la compréhension de celle que l'on n'est pas habitué à voir. Ou alors pour évoquer un souvenir qui s'était perdu, comme face à un paysage en voyage.

Mais que peut bien signifier cette superposition d'images de désastres ? Les personnes âgées évoquent des paysages de guerre. Je me souviens, quand j'étais à Kaboul en 2003, il m'est venu malgré moi une comparaison avec le Tokyo d'après les bombardements de mars 1945, époque pourtant que je n'ai pas vécue. Cette évocation m'a gênée moi-même, et il m'a fallu la justifier coûte que coûte. J'ai alors écrit dans une revue japonaise que c'était à cause des témoignages qui rapportent que les bombardements avaient dégagé l'horizon. Ces témoignages se sont fondus en moi avec les photos que j'avais pu voir et m'ont donné cette impression. Il y a peut-être une part de vérité, mais je ne parviens pas encore à me l'expliquer.

À vrai dire, je ne sais toujours pas d'où procède cette superposition d'images. Pour l'heure j'enregistre, j'énumère.

Aussi, quelle superposition peut fonctionner pour une image à laquelle on est confronté pour la première fois, comme celle de la centrale ? La comparaison Fukushima-Hiroshima est une superposition de noms, de contenus, et non pas d'images à proprement parler ; les deux images sont incomparables.

Le 21 mars

Une écrivain qui devait venir au Japon fin avril annule son voyage. Elle invoque d'abord des raisons politiques, mais je comprends que c'est la peur des radiations qui la saisit. Elle dit, on ne sait jamais, on a l'expérience de Tchernobyl. Je comprends bien, évidemment. Le problème, c'est que si l'on se met à vouloir expliquer aux Français, si sceptiques, que Tokyo reste encore fréquentable, c'est comme si l'on était du côté des autorités.

Qu'on le veuille ou non, c'est accréditer la version officielle. Or penser que les autorités nous cachent tout, c'est, paradoxalement, admettre qu'elles détiennent tous les secrets. Eh bien non. À l'époque de Tchernobyl, il n'y avait pas l'internet. Aujourd'hui, chacun peut consulter les documents émis depuis l'étranger ou par les dissidents. Cela ne dispense en rien les autorités du devoir de vérité, mais au bout du compte, chacun est libre de choisir, de comparer, de trier les informations, d'en déduire ce que l'on peut nous cacher et d'en conclure en conséquence ce qu'il est raisonnable de croire. À l'heure de décider de se rendre ou non dans une zone à risque, en cas de guerre, de radiations ou de tout autre chose, j'estime qu'il faut se fonder sur ce genre de processus critique et non céder au scepticisme généralisé.

Cette réflexion vaut aussi pour moi, parce que je ne suis pas sûre d'être capable d'échapper à ce piège le jour où je devrai décider de me rendre ou pas dans un pays « peu sûr ».

Je ne sais pas pourquoi, je pense soudain aux véhicules de simulation de tremblements de terre. Les enfants aiment bien monter dedans ; une sorte de camion reproduisant à l'intérieur un salon d'habitation, et qui peut simuler les secousses par degrés. On en voyait à l'école lors des sessions d'entraînement aux séismes. À magnitude 1, on ne sent pas grand-chose ; à 5 les enfants ont du mal à rester debout.

Je me souviens avoir pas mal chaviré, pour finir à quatre pattes, à je ne sais plus quelle magnitude, 7 peut-être.

Cette fois-ci, le tremblement de terre était de magnitude 9.

Ryôichi Wagô parle de répliques, et des « centaines de millions de chevaux qui passent sous la terre ». Les témoignages du séisme de Hanshin-Awaji rapportent des impressions de crash d'avion, de chute de vaisseau spatial, à cause du ciel qui s'illumine tout à coup, de bombe envoyée par la Corée du Nord, de train qui déboule, d'éruption volcanique. La sensation réelle de la chose dépasse à tel point l'idée que nous pouvons nous faire d'un tremblement de terre que même en étant préparés, nous ne réalisons pas ce qui nous arrive.

C'est pendant le raz-de-marée en Indonésie que la plupart des Français ont entendu le mot « tsunami » pour la première fois. Maintenant, le mot a été relancé par son pays d'origine, comme s'il voulait en revendiquer la paternité.

Le 22 mars

L'éditorial du *Monde* parle des Japonais comme d'un « peuple-providence ». Il est dit que « les Japonais ne se sont jamais bercés de l'illusion qu'ils pouvaient complètement dépendre de l'État ». Un article convaincant pour beaucoup des Japonais qui l'ont lu, parmi toutes les tentatives d'expliquer l'attitude de la population face à la catastrophe.

Encore une fois, ce n'est pas parce que l'on ne montre pas sa tristesse que l'on n'est pas triste. Je me souviens du cas d'une Japonaise en Angleterre à qui l'Assistance sociale avait retiré la garde de ses enfants au motif d'une incapacité parentale. Les examens comportementaux, menés par des psychologues occidentaux, concluaient à un manque de témoignages d'affection de la mère pour ses enfants. Pour nous, il n'y a rien là d'étonnant. Je n'ai jamais embrassé mon père. Quand je m'apprête à repartir en France à la fin de mes séjours au Japon, nous nous serrons la main. Avec ma mère, c'est différent, peut-être parce que l'on est entre femmes, ou parce qu'elle est d'une autre génération que mon père. En tous les cas, les sentiments ont beau être forts, ils ne s'expriment pas toujours par des gestes.

Je me souviens des petits réverbères de Tokyo. Tokyo était plus sombre qu'elle ne l'est aujourd'hui. Mais j'aimais beaucoup les rues sous cette lumière douce.

La région du nord est réputée pour son saké. On parle de centaines d'entrepôts et de fabriques engloutis par le tsunami. La production sera d'autant plus difficile à redémarrer pour les petits producteurs que le processus de fabrication traditionnel est supervisé par un maître, seul à même de déterminer la durée optimale de fermentation, qui conditionne le goût. J'ignore combien de producteurs ont été emportés par les eaux. C'est toute une culture, avec son histoire, qui est ravagée.

Le 23 mars

Il est encore impossible de dénombrer les morts. Beaucoup de familles entières ont péri et il n'y a plus personne pour faire les déclarations de disparition. Du coup, ils n'entrent pas dans le décompte.

Les détenus du bloc A du centre de rétention d'Ôsaka ont rassemblé des dons pour les sinistrés. Au centre de rétention de Shinagawa aussi, le bloc F a récolté 20 540 yens, l'équivalent de 170 euros, quand bien même les détenus ont été maltraités alors qu'ils subissaient le séisme comme tout le monde. Le don sera versé à la Croix-Rouge.

On entend dire que des phénomènes de dépression sont constatés, même à distance de la région sinistrée, chez les personnes qui restent trop longtemps devant la télévision. Beaucoup l'auront constaté, le besoin de regarder la télévision a pris cette fois une dimension quasi obsessionnelle, intoxicante.

On dit surtout qu'il ne faut pas laisser les enfants trop longtemps devant la télévision, ni leur exposer en détail la gravité de la catastrophe : ils en seront traumatisés et n'apprendront pas grand-chose. Je pense à mon propre rapport à Hiroshima.

Hiroshima, quand j'étais petite, j'en avais peur. Je ne voulais pas voir. Je ne comprenais pas pourquoi mes parents, mon père surtout, insistaient pour m'instruire là-dessus.

J'avoue que ce qui me faisait peur, c'était les images, bien plus que les récits. Encore aujourd'hui, je me souviens presque phrase par phrase d'un ouvrage, *Les Deux Ida* de Miyoko Matsutani, qui met en scène magnifiquement la relation entre deux femmes de générations différentes confrontées à ce désastre, l'une irradiée, l'autre portant la mémoire d'une morte dans le bombardement. L'ouvrage décrit aussi la ville de Hiroshima de manière saisissante.

Les autres histoires, les témoignages non plus, ne me posaient pas problème. C'étaient les photos, et surtout les tableaux représentant la scène, qui me terrorisaient.

Peut-être mon père aurait-il dû attendre et me les montrer plus tard. Je ne sais plus quel âge je pouvais avoir, peut-être sept ou huit ans, quand j'ai lu la longue série de mangas *Gen d'Hiroshima*. Et toutes ces images, qui étaient tellement fortes, m'ont fait si peur que pendant longtemps

Hiroshima est restée pour moi une catastrophe effroyable au point que je devais à tout prix éviter d'y penser, éviter même d'aborder la question.

Il paraît que les enfants des réfugiés, dans les lieux d'accueil, jouent souvent au « tremblement de terre » ou au « tsunami ». Ils se mettent à plusieurs et quelqu'un dit : « Voilà le tsunami ! » ou « le tremblement de terre arrive ! »; alors, il y en a qui tombent, « Ah ! Je suis mort ! », d'autres : « Il faut fuir ! » Pour les adultes, il est pénible de voir leurs enfants rejouer la scène qu'ils ont vécue ; mais il ne faut pas les réprimander, c'est semble-t-il une sorte de thérapie. On dit que les enfants qui jouent à ces jeux-là sont déjà parvenus au stade où ils peuvent exprimer leur expérience, ce qui est bon signe. Les enfants qui pleurent plus qu'avant, qui sont nerveux, qui ont du mal à dormir, sont en quelque sorte entrés en phase de guérison. C'est à ceux qui ne parviennent pas à s'exprimer, qui restent calmes, qu'il faut faire très attention.

Matsushima est une baie ornée de plus de 260 îles et réputée depuis des siècles pour la beauté de son paysage, chantée dans de nombreux poèmes. La légende veut que Bashô lui-même ait été si ému par cette vue qu'il ne parvint pas tout de suite à composer de haïku. Matsushima n'a pas subi de graves dégâts. Les habitants de la baie disent qu'ils ont été protégés par les îles.

Ainsi toutes ces petites îles auraient permis d'amortir le déluge et de préserver le paysage chéri de Bashô.

Un institut de recherche a publié il y a quelques années un rapport sur les interactions entre la bière et la contamination radioactive. Il semblerait que tous les alcools préviennent la contamination à des degrés variables, mais que l'effet de la bière est particulièrement remarquable. Je ne sais pas ce qu'il en est véritablement, mais ce qui m'a beaucoup amusée, ce sont les réactions sur Twitter : « La bière combat la radioactivité, buvez de la bière ! » Tout le monde est ravi. On plaisante, « Oui, je pensais justement m'en prescrire un peu », « Si c'est ça, il faut que j'en boive ce soir », « Je vais me fournir, c'est pour ma santé ! ». Un bon prétexte pour décompresser un peu, pour plaisanter sans blesser personne, les gens en avaient besoin, cela se sent.

Takeshi Kitano dit : « À la télévision et dans les journaux, on ne parle que du nombre de morts et de disparus, mais si on considère ce séisme comme "l'événement qui a causé vingt mille morts", on ne comprendra jamais les victimes [...]. Il s'agit en réalité de vingt mille événements qui ont chaque fois causé une mort, puisque la tristesse est toujours individuelle. Quand on voit les sinistrés interviewés, tout le monde parle d'abord de sa femme et de ses enfants [...]. C'est de cette manière que l'on comprendra le poids réel du séisme. Il y a des gens qui ont le cœur déchiré par la mort de vingt mille façons, chaque fois différente. »

Dans mon carnet d'adresse e-mail, il y a quelques 600 contacts. Autrement dit,

600 personnes me connaissent à des degrés divers, même si nous ne nous sommes vus qu'une fois. Si l'on suppose ainsi que chacun connaît environ 600 personnes à un moment de sa vie, alors le chiffre de 20 000 morts signifie que douze millions de personnes sont directement concernées par l'événement, puisqu'elles connaissaient les morts, sans même parler des sinistrés. Douze millions de personnes, c'est un dixième de la population japonaise. Bien sûr, le calcul est simpliste, mais la mort d'une personne n'étant pas juste une affaire privée, il donne une idée de l'impact de la catastrophe.

Quand je regarde autour de moi, cela se confirme : chacun connaît au moins une personne touchée, plus ou moins directement, par la catastrophe, ce qui montre l'ampleur des dégâts.

Le 24 mars

On a retrouvé aujourd'hui deux sinistrés japonais en Nouvelle-Zélande. On comptait déjà vingt-quatre morts japonais dans le séisme de Christchurch du 22 février dernier. Il reste encore quatre disparus.

Il paraît que le manque de papier va se faire lourdement sentir, en particulier pour les papiers glacés, de ceux qu'on utilise pour les magazines féminins. On a du mal à imaginer le *Elle*, par exemple, imprimé sur papier mat.

Quelques magazines commencent à sortir leur numéro en ligne. Certains prédisent une accélération accrue de la numérisation dans l'édition.

L'image du tsunami n'est pas belle. Alors même qu'il s'agit d'une force de la nature, d'une puissance extraordinaire qui a déferlé. Sans doute parce que l'on sait qu'il y avait des gens prisonniers à l'intérieur. L'explosion d'un volcan, des vagues gigantesques, ces mouvements de la nature, s'ils s'activent tout seuls, peuvent faire de belles images. On admire en photo ce genre de phénomène. C'est parce qu'on voit parmi les vagues des maisons, des corps, que cela devient effroyable.

Chez des amis, je regarde Al-Jazeera. Je ne supporte pas les images. Je comprends bien cette stratégie de montrer les victimes, l'hémoglobine. Je comprends aussi les prises de position qui motivent cette chaîne. Mais c'est tout simple : ce désir de voir me terrorise. Sous prétexte de confronter la réalité crue, c'est un désir pornographique qu'on satisfait. Le désir de voir m'effraie par sa monstruosité.

Faut-il vraiment tout voir pour comprendre ? Et les mots, dans tout cela ?

C'est étrange d'être aussi nerveuse quand on est si loin. Comme si quelque chose était déjà fini. Impossible de faire une chronique si l'on ne parvient pas à maintenir la bonne distance avec son objet. Ces temps-ci, chaque nouvelle me trouble. Et je sais qu'à la relecture, une fois le texte achevé, je trouverai certains passages trop émotifs, trop sentimentaux. Pourvu que ce soit mon angoisse qui était excessive.

Le 25 mars

Je me sens violée. Comme il faut un temps infini à la victime d'un viol pour ne plus se rejouer le film en boucle, pour pouvoir penser à autre chose, je sens ce pays violé – ou plutôt non, parce qu'il n'a pas été agressé par un individu ou par un pays ennemi ; il s'est agressé tout seul et les habitants du pays ont été violés avec lui.

Ce mot, « violé », me vient à cause des réactions suscitées par la catastrophe. La fille violée, on est gentil avec elle. On lui témoigne de l'attention. Mais on parle aussi beaucoup, derrière son dos, et à la fin, on ne l'épouse pas.

L'accent des sinistrés, l'accent de Fukushima ou de Miyagi, si tendre, m'émeut par sa douceur.

J'entends dire que même les Cambodgiens ont récolté des dons pour les sinistrés japonais.

Nao, une autre amie japonaise qui vit à Aix-en-Provence, s'assoit un jour dans un café. Un monsieur qui se trouve à côté d'elle lui demande poliment si elle est japonaise. Elle répond que oui. Un instant après, elle s'aperçoit que le monsieur s'est discrètement déplacé à un autre table, loin d'elle.

Saeko, une amie qui arrive du Japon, me dit qu'en se promenant dans la rue, la veille au soir à Paris, un homme ivre l'a pointée du doigt en criant : « Radioactive ! »

Je ne pensais pas que ce mot pourrait devenir la nouvelle formule du racisme. Elle rit jaune.

J'ai commencé à écrire en espérant une fin heureuse. Maintenant que je sais qu'une fin heureuse n'est plus possible, que quelque chose a déjà été atteint, alors même que l'on est encore en plein dans cette catastrophe interminable, où pourrai-je arrêter ma chronique ? Quand j'ai commencé à écrire, presque compulsivement et sans pouvoir m'arrêter, j'avais sans doute en mémoire le séisme de Hanshin-Awaji, qui a marqué tous les esprits. Mais après coup, on avait pu assister à la reconstruction. Si j'avais fait la chronique du séisme de Hanshin-Awaji, j'aurais pu poser la plume au moment de la reconstruction, même s'il fallait encore beaucoup de temps aux sinistrés, aux villes, pour se remettre véritablement. Mais aujourd'hui, on ne peut pas même envisager de reconstruction, et je me demande bien, d'ailleurs, quelle reconstruction sera possible aux environs de la centrale.

Tout le monde veut parler de cette histoire. Comme moi. Même ceux qui ne sont pas concernés, même indirectement, par la catastrophe. Ils veulent parler de ce qu'ils ont vu, à la télévision ou en photo. On en parle partout. Sur la toile. Au Japon. En France. Mais je comprends. On a besoin de parler, d'écrire. Seul impératif : ne pas adopter un ton péremptoire, le discours d'autorité, à la troisième personne – « parce que les Japonais sont... » –, quand bien même c'est un Japonais qui parle.

Le 26 mars

Il fait beau à Paris. Je réaménage mon balcon, je donne de l'engrais aux plantes, pour certaines des plantes typiques du Japon, ou du moins du Japon qui m'était familier. Des yuzu, des poivriers du Sichuan (on les trouve certes aussi en Chine), des manryô, dont je ne sais pas le nom en français ni même s'il y en a un, un kumquat, un grenadier, un tara (dont je ne sais pas davantage s'il existe en France).

Je pense à un entretien que j'avais donné à France Culture en 2005, à l'occasion d'un reportage sur Hiroshima réalisé par Michel Pomarède, dans la série « Hiroshima, le souffle de l'explosion ». Je me souviens avoir parlé de la prononciation du nom de

Hiroshima. En japonais, le « h » est aspiré, alors qu'à la française, cela s'entend comme « Iroshima ». Quand j'entends prononcer « Hiroshima », avec le « h » aspiré, je pense à tout ce qu'a traversé cette ville depuis soixante-cinq ans, y compris la bombe, mais pas seulement. Quand un Japonais dit : « Je vais à Hiroshima », je ne pense pas chaque fois à la bombe atomique. Mais « Iroshima » à la française n'est presque prononcé que pour évoquer ce désastre. Du coup, cet « Iroshima » garde davantage la trace de l'histoire. L'aspiration du « h », à peine un souffle, représente soixante-cinq ans d'histoire après la guerre.

On fait assaut d'arguments sur la toile, entre partisans et opposants du nucléaire.

Je ne pouvais pas écrire en japonais, je n'y ai pas songé un instant. Non seulement parce que j'ai moins de choses à dire sur le sujet à l'adresse des Japonais, mais à cause de l'atmosphère de censure qui s'est développée.

Un ami m'annonce avoir trouvé dans une librairie l'intégralité de *Nausicaa* de Hayao Miyazaki, qui évoque un monde post-catastrophe nucléaire. Il était surpris que le libraire soit parvenu à se faire livrer les volumes dans ces circonstances, et qu'il y ait même songé. Il faut dire qu'à l'époque, on pensait davantage au nucléaire qu'au cours de ces dernières années.

Depuis le séisme, l'histoire du Japon d'après-guerre me revient, ou ce que j'en connais. Nouvelle superposition d'images.

Le Japon tel que je l'ai connu dans mon enfance, au début des années 1970, était un pays pollué. Je pense que cette image devait être partagée à l'étranger.

Quand il faisait beau et chaud, il ne fallait pas mettre le nez dehors à cause des alertes au smog photochimique.

On chantait la chanson de celui qui devient chauve sous l'eau de pluie. En cours de géographie, on apprenait surtout le nom des zones industrielles. Les procès de la maladie de Minamata, constatée vingt ans auparavant, étaient loin d'être terminés.

Il y avait encore d'autres maladies causées par la pollution, comme l'asthme de Yokkaichi, ou la maladie itai-itai, dite maladie « aïe-aïe », causée par une intoxication massive au cadmium déversé dans une rivière servant à irriguer les rizières. Les procès étaient en cours. La mémoire était encore vive.

Je ne sais plus à quel moment on a oublié que le Japon était un pays souillé. La jeunesse française, amatrice du Japon des mangas, n'avait sans doute pas cette image, du moins jusqu'au 11 mars dernier.

On oublie à quel moment on a oublié. En déployant par la suite tous les efforts dans les régions pour assainir les rivières et les terrains, on a aussi nettoyé l'image du Japon. D'un pays à l'industrie sommaire on a accédé au rang de pays à l'industrie sophistiquée, pour devenir enfin plate-forme du « soft power », exportant nos produits culturels, parmi lesquels mangas et jeux vidéo tiennent le haut du pavé.

Les années 1980, ère de la spéculation boursière, me sont apparues, en y repensant il y a quelques jours, comme une époque heureuse. Pour nous les jeunes, ce n'était pas tant le boom financier qui importait que le bouillonnement culturel qui en résultait. Parce qu'il régnait une sorte d'euphorie générale, les institutions acceptaient de dépenser pour la culture. J'ai gardé un souvenir excitant, presque vertigineux, de cette époque. Pourtant ces années-là aussi furent colorées d'histoires apocalyptiques. *Nausicaa*, je l'ai lu quand j'étais collégienne.

Les gens se demandent si la création artistique au Japon sera affectée par le 11 mars 2011. Très certainement. Mais les récits apocalyptiques, évoquant notamment la menace d'une guerre atomique, étaient déjà florissants dans les années 1950, massivement dans les mangas mais aussi dans la littérature et dans le cinéma. D'ailleurs, le thème du « Day after » n'est pas une spécialité japonaise. En Europe et aux États-Unis aussi la liste est longue.

L'année dernière, en faisant un voyage au Japon, pour la première fois depuis mon arrivée en France il y a quatorze ans j'ai eu envie de rester y habiter un moment. Certes, la politique est toujours affligeante, la situation des déshérités, de plus en plus précaire, et l'économie va toujours mal, bien que la chute soit moins vertigineuse qu'au cours des années 1990. La récession a tellement traîné en longueur qu'elle est devenue l'état normal, si bien que les Japonais se laisseraient maintenant dépasser par la Chine avec une certaine indifférence. Le Japon a enfin accepté d'être un petit pays, ce qui ne lui va pas si mal. Petit pays charmant et belle nature. L'année dernière, je venais d'interrompre mon emploi salarié pour me mettre en free-lance, alors je me suis mise à envisager de travailler mi-temps à Tokyo, mi-temps à Paris, par exemple... Les loyers à Tokyo n'étaient plus aussi exorbitants qu'autrefois alors je me suis dit, peut-être en 2012...

Maintenant, je ne sais plus.

Ces jours-ci, il m'en coûte de prononcer ou d'écrire les mots « nature », « paysage », « beauté sauvage ». Je pense à Fukushima où je ne suis jamais allée. Et je regrette cruellement ce paysage. La nature de Fukushima, qui a été soutirée à ce mot.

Peut-on encore parler de catastrophe pour une situation qui s'éternise ? Bien sûr que oui. La catastrophe, naturelle ou humaine, laisse chez les sinistrés une blessure lente à cicatriser. Ils mettent des années à s'en remettre. Mais cela fait partie du travail d'« après la catastrophe ». Et ça, c'est toujours long. Ce que l'on est en train de vivre, c'est une catastrophe qui, ici et maintenant, est toujours en train de se produire.

Je crois avoir écrit, au début de cette chronique, que l'on était à la veille d'une catastrophe et que l'on espérait encore qu'elle ne se produirait pas. Maintenant, on est pendant la catastrophe, et ça dure. Comme si le temps s'était arrêté au moment même où la catastrophe s'était produite et qu'on vivait dedans depuis sans pouvoir en sortir. Je songe à la temporalité à trouver pour décrire cette situation qui change de jour en jour sans évoluer.

Un climat de tension à fleur de peau règne sur Tokyo, me dit-on. Je le sens jusqu'ici. Cette atmosphère irrespirable est en train de devenir notre milieu naturel.

La peur serait plus forte chez les jeunes que chez les vieux. C'est un ami quinquagénaire qui me le dit. C'est possible. Il est vrai que mon frère et sa femme se sont réfugiés pour un temps indéterminé chez mes parents, qui quant à eux sont beaucoup plus calmes. Pour ma belle-sœur, je la comprends. Elle n'a jamais vécu de séisme. Il y a encore des répliques. Elle veut avoir un enfant cette année. C'est aussi que les jeunes ont encore toute leur vie à vivre.

Et puis, ils n'ont pas vécu la grande époque des essais nucléaires. Les tremblements de terre, ils connaissaient; pas les dégâts de la radioactivité. Depuis la fin de la guerre froide, on n'agite plus la menace nucléaire dans les médias. Les jeunes de vingt ans sont nés après Tchernobyl. Et hélas, l'opposition à l'énergie nucléaire s'est nettement marginalisée depuis les années 1990. Tout cela réuni fait que les mots « radioactif » et « nucléaire » sont beaucoup plus abstraits pour les jeunes Japonais d'aujourd'hui. Ils n'en connaissent les effets que dans un flou lointain, et c'est de cela, paradoxalement, qu'ils ont si peur.

Sur le site « Hello work », équivalent de Pôle emploi, un ami trouve des offres d'embauche pour nettoyage sur zone à la centrale nucléaire de Fukushima. J'ose espérer que c'est une plaisanterie.

Le 27 mars

Les répliques se poursuivent. Il paraît que lorsqu'on règle l'alerte au séisme du portable sur « magnitude 1 », cela sonne sans arrêt. Pas étonnant que certains aient le « mal de terre ».

Les médias japonais se sont mis à déclarer qu'en réalité, les adultes n'avaient pas été très affectés par Tchernobyl, juste les enfants en bas âge auxquels on avait négligé de donner leurs comprimés d'iode. Ils préparent le terrain. Pour quoi ?

Sanriku, département d'Iwate, avait déjà subi des tsunamis d'ampleur comparable avec des vagues de 28 mètres de haut en 1933, 38 en 1896, d'après les calculs des chercheurs. Si l'on se met à invoquer un « tsunami sans pareil », expression chère aux cadres de Tepco, c'est qu'on nous cache quelque chose.

Le 28 mars

Je parle avec une Française qui travaille dans l'environnement. Elle dit : « Le séisme, c'est une catastrophe propre, si vous voulez. Mais le tsunami, c'est une catastrophe sale. » Elle dit aussi qu'elle reçoit tous les jours quantité de courriers de Français qui ont des choses à lui apprendre sur le sujet. Tout le monde aujourd'hui en France se prétend spécialiste du nucléaire.

Elle me demande pourquoi les personnes qui travaillent dans la centrale n'ont pas de nom, pourquoi on ne nous communique pas leur nom. Un Japonais lui répond que c'est une vertu nationale de rester anonyme. Comment peut-il ne pas comprendre que c'est tout simplement pour leur bien, pour éviter qu'ils fassent plus tard l'objet de discriminations, que leurs filles trouvent un jour à se marier sans être traitées d'irradiées ? Ou peut-être est-ce moi qui ai mal compris et cherchait-il simplement à lui épargner les réalités de la société japonaise ?

Yumi, une amie japonaise résidant à Paris, évoque certaines réactions observées au Japon. Certains Japonais, dit-elle, semblent considérer l'accident de la centrale comme une catastrophe naturelle. Soit. Et les Occidentaux de s'interroger pourquoi les Japonais n'ont pas de rancœur à l'égard des

Américains et de leurs bombes atomiques lâchées sur Hiroshima et Nagasaki. Ce n'est pas de leur faute. Ce n'est pas de notre faute. Ce n'est la faute de personne. C'est donc une catastrophe naturelle.

Personnellement, je crois pouvoir supporter des conditions de vie assez spartiates. Mais pas dans une société dominée par l'autocensure.

La paranoïa a vite fait de s'installer. Je pense à mon deuxième séjour en Iran, en compagnie d'étudiants français. En moins d'un mois, tout le monde était devenu paranoïaque. Le système fonctionne à merveille.

Le 29 mars

Je me rends à Lille pour assister à un spectacle d'Israël Galvan, *El final de este estado de cosas, redux*. J'ai déjà vu ce spectacle, mais voila un artiste dont je ne me lasse pas de revoir les pièces. J'assiste à son apocalypse. D'une beauté fatale. Je sors du théâtre, il fait encore froid et humide.

La presse internationale commence à émettre des critiques à l'égard des Japonais, dans les termes mêmes qui étaient utilisés pour dresser leur louange.

La difficulté qu'il y a à conserver une pluralité d'images sur un objet de discours, lorsqu'un événement dépasse notre imagination. On cherche une compréhension rapide du phénomène que l'on a sous les yeux, et c'est à ce moment-là que les vieux fantômes se réveillent.

Un agriculteur du département de Fukushima se suicide, au lendemain du décret ordonnant des « limitations de consommation » sur certains légumes en provenance du département. Il cultivait le chou, selon les règles strictes de l'agriculture biologique. Il a réchappé au tremblement de terre ; pas à la centrale, dit la famille.

Les étrangers ne comprennent pas pourquoi les Japonais ne critiquent pas davantage Tepco, pourquoi si peu de voix s'élèvent contre l'énergie nucléaire. Je comprends qu'ils ne comprennent pas. Moi non plus, je ne comprends pas.

Ce n'est pas que les Japonais soient incapables de pillage. Après le tremblement de terre de Kantô, en 1923, on massacra les Coréens, par peur, parce qu'une rumeur avait circulé accusant la communauté de Tokyo d'avoir déversé du poison dans les puits. Ce besoin d'un bouc émissaire, dramatique. Aujourd'hui, ce sont les sinistrés eux-mêmes qui font l'objet de discriminations. Certains lieux de refuge sont interdits aux personnes qui résidaient à moins de trente kilomètres de la centrale et à celles qui n'ont pas de certificat d'examen de radioactivité.

Quand j'y pense, les maisons japonaises sont truffées d'appareils électriques. Bouilloires qui gardent l'eau à chaleur constante, baignoires de même, toilettes chauffantes, rice-cookers qui conservent le riz au chaud, je ne sais plus quoi encore, toutes sortes d'appareils auxquels on ne prête même plus attention, dont on oublie qu'ils consomment de l'électricité.

Le 30 mars

Il paraît qu'on retrouve des cadavres le téléphone portable à la main, comme s'ils avaient essayé d'appeler quelqu'un.

Je regarde des images de la ville de Minami-sanriku au moment du tsunami. On entend l'ordre d'évacuation, diffusé par les haut-parleurs, résonner dans toute la ville. La plupart des habitants qui l'ont entendu se précipitent pour s'enfuir et parviennent à en réchapper. Miki Endô, jeune employée de la mairie de Minami-sanriku restée pour retransmettre l'ordre d'évacuation jusqu'au dernier moment a été emportée par les vagues. Reste la voix.

Je me pose de nouveau la question formulée dans mon livre *Adagio ma non troppo* :

« Depuis le moment où un message est achevé, jusqu'à ce qu'il parvienne à la personne qui doit le recevoir, les mots, quelle vie vivent-ils ? S'effacent-ils une fois reçus, ou bien tous les mots ne s'effacent-ils jamais et continuent-ils à flotter aux alentours ? »

Le 1er avril

Un chroniqueur de la radio, à qui notre conversation a peut-être donné une idée, me dit : « Tiens, pour ma chronique de demain, on va parler d'atomes. » On peut glisser ce thème n'importe quand n'importe où, comme ça, « Tiens, maintenant on va parler d'atomes ». Ces temps-ci, ça colle à merveille.

Le 2 avril

La catastrophe semble en passe de devenir notre quotidien. C'est incroyable cette capacité, rassurante et monstrueuse à la fois, de tout intégrer dans le quotidien. Me voici à peu près persuadée désormais que les films post-apocalyptiques, où les personnages endurent jour après jour l'insupportable, peuvent à tout moment devenir réalité et que l'on serait encore capable de s'y faire, d'y inscrire notre quotidien.

On aurait presque l'impression que certains Français en manque de drame attendent la catastrophe chez eux. De leur point de vue, c'est le quotidien qui est insupportable; pas de révolution comme dans les pays arabes, pas assez de malheur pour se serrer les coudes, pas de grande catastrophe à l'horizon excepté quelques inondations régionales, rien qui suffise à unir un peuple. Quelqu'un me parle de l'hypothèse d'une éruption volcanique dans les îles Canaries. Il est presque excité à cette idée.

Certes, ce n'est pas la France, mais le tsunami provoqué par une telle éruption arriverait tout de même jusqu'à Marseille !

Je n'espère pas que cela nous arrive.

Enfin, ceux qui cherchent à tout prix un motif d'angoisse, qu'ils se débrouillent.

Yumi me raconte l'histoire d'un de ses amis, un Japonais, troisième génération des irradiés de Hiroshima, qui n'a pas pu se marier. Le père de la fiancée a refusé de lui donner sa fille. Trois générations après. Lui qui est né à Tokyo et qui n'a plus de contacts avec Hiroshima.

Au début, j'ai écrit qu'il fallait éviter cette superposition de Fukushima et de Hiroshima, que c'était trop facile, que la comparaison pénaliserait les sinistrés. Trop tard. La superposition des images a rattrapé la réalité, elles sont soudées si fort désormais qu'on ne pourra plus les détacher l'une de l'autre. Comment faire ?

Yumi constate aussi que beaucoup de couples franco-japonais connaissent des difficultés ces temps-ci. Les maris français ne veulent pas que leur femme se rende au Japon. S'il y a des enfants, surtout, les grands-parents français s'opposent à ce que leurs petits-enfants y aillent. Si c'était pour les vacances de Pâques, je peux comprendre ; le problème de la centrale n'est pas résolu, il y a trop d'incertitudes. Mais Yumi me rapporte le cas d'un Français, haut fonctionnaire, qui a dit à son épouse : « C'est dommage, on ne pourra plus aller voir tes parents. » Plus jamais. Alors d'après lui, leurs enfants, qui sont aussi bien japonais que français, ne pourront plus mettre les pieds dans leur pays ?

Sur le long terme, Yumi prédit de nombreux divorces parmi ces couples. Les couples mixtes qui vivaient au Japon se demandent s'il faut partir. Parfois les Japonaises (c'est le plus souvent la femme qui est japonaise) ont des scrupules à abandonner leurs parents âgés, ce qui fait l'objet de disputes. Des couples qui se séparent, non par leur faute, mais à cause du pays. J'essaie d'imaginer des situations similaires dans d'autres couples mixtes – pays en guerre ? réfugiés politiques ? – mais c'est difficile. Une fois la guerre terminée, on a l'espoir de rentrer au pays. Une fois le régime renversé, même les réfugiés politiques peuvent espérer rentrer au pays. Mais dans le cas du Japon, impossible de déterminer une fin, la fin est à ce point diluée au large qu'on a du mal à l'envisager.

D'ordinaire, c'est plutôt un avantage, pour un couple, d'avoir deux pays d'origine. Si l'on ne trouve pas de travail dans l'un, on peut aller dans l'autre. Si les conditions d'éducation sont meilleures dans un pays, on peut s'y installer le temps d'élever ses enfants. Désormais, c'est justement le fait d'avoir deux pays d'origine, si l'un d'entre eux est le Japon, qui fragilise les couples. Pourvu que ce soit provisoire.

Le 3 avril

En prenant l'avion pour Tokyo, je pense à ceux qui sont récemment rentrés au pays après la révolution en Tunisie ou en Égypte ; comme j'aimerais être à leur place ! Même s'il reste beaucoup de problèmes à régler après le changement de régime, il doit y avoir une sorte d'emballement, de joie, à l'idée que leur pays est renouvelé. Quant à moi je pars avec une légère angoisse, non pas tant des radiations que de trouver Tokyo changée, abîmée, usée sous le discours des autorités devenues folles.

Aussi, je me souviens de cette phrase d'Abdelwahab Meddeb dans *Printemps de Tunis* : « De ce moment date le départ de Mohamed Charfi et de mon ami Hichem Gribaa dont je regrette la disparition en septembre dernier. Il n'aura pas vécu pour jouir de la chute du dictateur qu'il souhaitait de tout son être. » Et je me dis, heureusement que mon grand-père n'a pas vu cela. Lui qui a connu la guerre, qui a vécu à Tokyo pendant plus d'un demi-siècle, heureusement qu'il est parti sans avoir vécu ce 11 mars.

Voila mes hantises qui reviennent. Quand je suis déprimée, ce qui me vient, ce qui me terrorise, c'est qu'il y ait un tremblement de terre à Tokyo et que je sois la seule de la famille à être épargnée. Je préférerais être sinistrée avec eux plutôt qu'épargnée à distance. Quand mon grand-père était en vie, j'avais peur pour lui. Il habitait dans une maison traditionnelle, en bois, certainement pas aux normes antisismiques. C'est aussi pour cette raison que je me suis sentie d'une certaine manière soulagée quand mon frère a vécu à plein temps en Chine pendant quelques années.

Non, les Japonais ne sont pas en permanence hantés par ce genre d'obsessions. Moi-même je n'y pense pas tous les jours, heureusement. En temps normal, on vit plus nonchalamment. C'est ce désastre qui fait resurgir toutes ces hantises, d'ordinaire dormantes.

Il paraît que, même à étranger, les enfants qui passent leur temps à voir des images de la catastrophe développent des jeux de « tremblement de terre » et de « tsunami » semblables à ceux que j'ai décrits plus haut.

Une amie qui a une fille m'apprend que « Fukushima » est la nouvelle insulte dans les cours de récréation. Pour les petits Français, ce toponyme, « l'île du bonheur », doit sonner comme « vermine »?

Le toponyme « Fukushima » proviendrait de « Fukishima », « lieu où le vent souffle fort ». Je ne voudrais surtout pas que l'on associe l'image de la carte des vents que l'on scrute tous les jours à un destin dicté au lieu par l'étymologie.

De nouveau, sur des sites japonais, la métaphore des Juifs qui n'ont pas cherché à fuir avant la Guerre. On commence à se demander. À se demander quoi?

Sur France Culture, on déclare que « c'est l'un des deux accidents les plus graves qui se soient produits dans des centrales nucléaires, peut-être le plus grave ». Cela me surprend. C'est donc cela qu'on pense à l'étranger. En fait, nous aussi nous le savons bien, c'est un fait; j'ai moi-même été surprise d'être surprise. Autrement dit, je n'avais pas voulu l'admettre jusqu'alors. C'est seulement maintenant que je découvre ce refus inconscient qui m'a surpris, deux fois.

À l'aéroport, un agent de la douane me souhaite bon courage. La dernière fois, au Duty Free, un caissier français m'avait dit : « Vous avez de la chance d'être japonaise, comme ça, vous pouvez aller au Japon aussi souvent que vous voulez! »

Étant parmi les premiers à entrer dans l'avion, je m'attends à ce qu'il y ait une suite. Il n'y en a pas. Très peu de monde sur ce vol. La seule fois que j'en ai vu si peu, c'était trois jours après le début de la guerre du Golfe. Les Japonais, sujets à la panique comme tout le monde, avaient alors massivement annulé leurs voyages, même vers l'Europe.

Le 4 avril

Dans l'avion, je me sens envahie par une sensation de fin. Quelque chose a pris fin, de manière irréversible. Je pense à mon dernier séjour au Japon, c'était en novembre dernier. Je m'étais rendue dans le nord avec mes parents, dans le département de Nagano, pour admirer le paysage et goûter la cuisine régionale. Je suis allée dans une station thermale à Hakone – cuisine fraîche, fruits de mer, le feuillage était rouge et or.

Une fois encore, je n'étais pas inquiète du ralentissement économique. Je me représentais que tôt ou tard le Japon serait dépassé par la Chine et que c'était très bien comme ça. Il y aurait des Chinois pour venir visiter notre petit pays. On allait devenir une destination touristique comme tant d'autres pays sympathiques, c'est ce qui était en train de se passer. Les Taïwanais et les Chinois commençaient à choisir le Japon comme destination de vacances, les Européens aussi. Un petit pays de rien de tout, mais avec une belle nature et une culture intéressante, où l'on mange bien.

C'est fini. Désormais, moi aussi, quand je mangerai du poisson dans un restaurant de sushis, je ne pourrai pas m'empêcher de penser à sa provenance. Avant, si l'on s'enquérait de la provenance du poisson, c'était pour rêver. Pour rêver aux régions du nord, du sud, à leur nature et à leurs rivages. Désormais, ce sera par la peur. Comme si l'on ne pouvait plus visualiser l'image qu'embuée d'un épais brouillard. Ou comme si le pot d'encre s'était renversé sur la table, tachant d'un coup toutes les photos qui se trouvaient dessus. Toutes les images, même celle du sud, même celle de Kyôto, sont tachées. Les étrangers qui ne veulent plus se rendre au Japon, même à l'ouest, je les comprends, ce n'est pas un simple amalgame. Effectivement tout le Japon, ou plutôt toutes les images, l'intégralité de l'imaginaire du Japon, est taché par cette encre. Quelque chose a pris fin.

Dans un bistro où j'ai coutume de me rendre le jour de mon arrivée, on trouve toujours des mets succulents, herbes et jeunes pousses en salade ou en friture, tout petits calamars pochés, tofu à l'ail et à la crevette, pâté de testicules de daurade. Le bistro est animé, il y a du monde, mais sur toutes les lèvres, un seul sujet : l'« au-cas-où ». À la table à côté, quatre salariés plaisantent : « Si je meurs, je mourrai avec toi. »

Le 5 avril

La question des images de la mort. On ne publie pas de photos de cadavres au Japon, si ce n'est celles qu'on peut voir relayées sur internet à partir des médias internationaux.

Certaines, d'ailleurs, sont respectueuses et émouvantes ; des photos qui cherchent à montrer des hommes, qui viennent de basculer vers la mort, et non des cadavres. Ou des photos des lieux où l'on dépose les morts, comme des lieux de tragédie. Il y a moyen de photographier la mort décemment.

Un ami français me demande si c'est une particularité japonaise. Peut-être que oui, mais dire que c'est propre aux Japonais ne résout rien à l'interrogation.

Je pense qu'il s'agit d'une question d'imagination. Tout le monde sait qu'il y a eu des morts. Beaucoup de morts. Des noyés. Pas besoin d'avoir les photos sous les yeux quand on sait par les informations que les cadavres sont entassés dans des gymnases d'école, que l'on ne peut plus en accueillir faute de place, et qu'il en reste encore beaucoup, des semaines plus tard, que les familles ne sont pas venues réclamer, parce que la famille entière a péri. On sait qu'être sinistré, ça veut dire être confronté à cette situation. Ça veut dire avoir assisté en direct à la mort de personnes emportées par le tsunami. Ça veut dire aller de gymnase en gymnase à la recherche de ses proches et devoir observer d'autres cadavres pour vérifier. Aujourd'hui encore, les secouristes passent leurs journées entières à dégager les cadavres parmi des décombres. On en trouvera toujours, deux mois plus tard. Ces nouvelles, les phrases que nous lisons dans les journaux, suffisent à activer notre imagination, qu'on le veuille ou non. Qu'y a-t-il à savoir de plus ?

Pendant la guerre du Golfe, il a été question de guerre « propre », et l'on a bloqué la diffusion des images des morts américains pour faire croire que personne n'avait été tué. Le scandale qu'a causé une telle propagande était justifié.

Mais dans le cas présent, c'est tout à fait autre chose. Pendant la guerre du Golfe, la rétention des images avait pour but de soustraire à l'imagination du public américain l'idée même de la mort. Depuis le tremblement de terre dans le nord, à l'inverse, les nouvelles, les mots, les phrases permettent assez de l'imaginer. Ceux qui ne se sont pas rendus sur place ne pourront jamais comprendre ce qu'ont pu vivre les sinistrés, et ce n'est pas en montrant les cadavres qu'on le comprendra davantage.

Nous sommes déjà suffisamment accablés d'images et d'informations, pas la peine d'en rajouter.

Pour les étrangers, ils peuvent peut-être regarder ces images, ils ont encore de la marge.

Aux informations, les restaurants japonais de Hong Kong contraints de fermer les uns après les autres. Du fait de la proximité des deux pays, certains restaurants faisaient valoir, pour se démarquer, que tous leurs produits venaient directement du Japon. Maintenant, ils ont beau prétendre s'approvisionner partout ailleurs, il est déjà trop tard.

Je m'inquiète pour mes amis japonais à Paris qui travaillent dans l'alimentation et la gastronomie. J'ai entendu dire il y a une semaine que les détaillants achetaient beaucoup moins de poissons et de fruits de mer à Rungis, y compris des huîtres, alors qu'elles proviennent des côtes françaises. La peur se propage, qui crée l'amalgame. Plus envie de poisson, ne plus penser à l'eau de mer.

J'ai presque envie de m'excuser auprès des pauvres pêcheurs bretons qui n'ont rien fait de mal.

Au Japon, plusieurs expositions sont annulées, faute de tableaux attendus de l'étranger : soudaine augmentation des frais d'assurance, devenus prohibitifs, ou refus des musées étrangers de prêter leurs collections, je suppose.

C'est ainsi qu'un pays peut s'isoler, bien malgré lui.

Dans les années 1980, le Japon attirait des artistes du monde entier.

Maintenant, il risque de s'ajouter à la longue liste de pays auxquels l'Occident refuse de prêter ses œuvres d'art et où les artistes européens ne se rendent qu'à condition d'exposer leur propre travail, ou pour organiser un tournage à moindre coût.

La rumeur circule qu'un contrôle de radioactivité est mis en place à Roissy; si le taux est trop élevé, on doit laisser ses habits à l'aéroport. Véridique? Simple rumeur? On plaisante qu'il faudra voyager en haillons et prendre un pyjama de rechange.

Le 6 avril

Des curieux viennent prendre des photos sur les lieux de la catastrophe. Ils bloquent la circulation et les camions de secours peinent à accéder au site. Les autorités ont décidé de délivrer un certificat de circulation pour éviter ces nuisances.

Dîner dans un restaurant de spécialités okinawaïennes avec un musicien compositeur et une romancière. Humour noir sur les centrales. On ne peut que rire d'une situation aussi instable.

Certains Japonais sont convaincus que c'est au Japon qu'il se passe des choses vraiment intéressantes. Pour eux, ni l'Europe ni New York ne sont le centre du monde. C'est peut-être vrai dans certains domaines. Le compositeur est de ceux-là. Il expose souvent en Europe, il a récemment réalisé deux installations en France, mais il semble donner davantage d'importance à son travail au Japon, ou plutôt à certaines problématiques japonaises. Il est inquiet de la situation. Il parle aussi d'un auteur, Hiroki Azuma, qui est au bord de la dépression. Parce qu'il voit s'effondrer cet espace mental où le Japon figure le centre de la culture, j'imagine. Il explique qu'il « ne se verrait pas devenir artiste multimédia à Berlin », par exemple. Exemple révélateur de sa position vis-à-vis de l'Europe et du monde.

D'ailleurs, lors de mon dernier passage l'année dernière, une éditrice m'a encouragée à revenir m'installer au Japon, pour avoir plus de visibilité dans le paysage éditorial japonais. Elle le disait pour mon bien, comme on dirait à quelqu'un : « Tu as pris de bonnes vacances à l'étranger, c'est bien. Maintenant, il faut rentrer chez toi te mettre au boulot. »

Parmi les blagues qui circulent, il y a celle du jeune Japonais qui ne trouve pas à se marier à l'étranger à cause des radiations. Si la chose se confirmait, nous n'en serions pas surpris.

On dîne. On rit. On assiste au naufrage de l'État comme on regarde le niveau de l'eau diminuer. De pire en pire. Jusqu'où on peut s'abaisser ?

Risque d'explosion aujourd'hui.

Fortes secousses, vers 23 h 30. L'électricité des centrales d'Onagawa et de Rokkashomura est partiellement coupée.

Tant que j'étais en France, je me souciais surtout de la centrale. C'était devenu l'enjeu principal de la catastrophe. Mais vu d'ici, il m'apparaît que l'on n'en a pas fini non plus avec le séisme. C'est même ce que l'on en vient à redouter le plus puisque les secousses se poursuivent, nous rappelant dans notre corps que ce n'est pas terminé. Pas seulement les répliques ; un nouveau séisme peut encore être provoqué par l'instabilité des plaques déplacées par le premier. À Tokyo et dans les environs, on sait que le risque qu'un grand tremblement de terre se produise dans les trente années à venir s'élève à 70 %. Ce risque s'incarne plus que jamais ces jours-ci, faisant peser la menace d'une nouvelle catastrophe imminente. Non seulement on n'en a pas fini avec le séisme, mais on se sent à la veille d'un nouveau grand tremblement de terre.

Il se peut que je le redoute davantage que la plupart des Japonais. Comme les étrangers qui n'ont jamais expérimenté de séisme. Il y a une part d'habitude, que l'on acquiert et que l'on perd. Moi qui vis en France depuis longtemps, les tremblements de terre me font plus peur qu'auparavant.

Le 7 avril

Fantômes ou radioactivité, les hommes ont peur de ce qu'ils ne peuvent pas voir. De là le désir de « voir » ?

Je dîne avec Hisaé, qui est architecte. À l'entendre, certains de ses collègues nourriraient le secret désir d'assister au grand tremblement de terre de Tokyo. Une sorte d'expérience grandeur nature de la résistance des constructions. Et puis il y aurait ensuite de grands travaux de reconstruction à entreprendre, un vrai bonheur pour les urbanistes, comme ce fut le cas après le séisme de 1923 à Tokyo, et celui de 1995 à Kôbé. Chaque grand incendie, chaque tremblement de terre en milieu urbain, fournit une occasion de redessiner le plan de la ville, avec les résultats plus ou moins heureux que l'on sait. Je peux imaginer qu'il se trouve des architectes, des urbanistes, pour souhaiter qu'une telle occasion se produise. Comme certains spécialistes du nucléaire que l'on peut voir à la télévision, visiblement excités d'avoir un champ d'observation *in vivo*, et des données réelles sur les irradiés.

Elle me dit aussi que de nos jours, un bâtiment construit comme il faut selon les normes antisismiques ne s'écroule pas. En cas de séisme, mieux vaut donc se trouver à l'intérieur d'un bâtiment de ce type. Seulement, s'il s'agit d'un immeuble élevé, que vous vous trouvez au cinquième ou au dixième étage et que par malchance il y a une vitre à proximité, l'immeuble peut s'ébranler si fort que vous vous retrouverez meurtri sous une pluie de verre ou, pire, projeté par la fenêtre.

Le 8 avril

Peu à peu, on augmente la dose, et on s'habitue à ce qu'il y ait cette dose.

On s'habitue aux accidents, à l'état d'urgence, aux réactions tardives des responsables. La poète Kiryû Minashita écrit :

« L'habitude, c'est la chose au monde la plus redoutable. »

Dans les librairies, beaucoup d'ouvrages sur les séismes et sur le nucléaire. Je suis surprise de voir qu'il en existe autant, parce que même en se pressant beaucoup, il est peu vraisemblable qu'on ait pu les écrire et les faire imprimer depuis le 11 mars dernier. J'achète deux manuels de survie en cas de séisme, et deux livres qui retracent l'histoire des tremblements de terre, l'un depuis le Moyen Âge, l'autre à l'époque moderne, avec une mise en perspective de la politique de reconstruction adoptée chaque fois par les gouvernements.

Une semaine plus tard, ces questions occupent désormais des rayons entiers.

Je me rends au building Marunouchi, à deux pas de la gare de Tokyo, pour dîner avec une rédactrice. Les deux immeubles futuristes sont très beaux. En les regardant, on ne peut pas ne pas penser, ne pas superposer à cette image une autre image à venir : les deux immeubles en ruine.

Le 9 avril

Qu'est-ce que j'aurais pu faire dans un lieu d'accueil si je n'avais pas de livre? Le livre quantifie le temps, il le rend pour ainsi dire concret. Sans cet instrument, l'attente s'éternise, le temps se dilue. Pour ma part, je ne peux pas concevoir de me retrouver où que ce soit sans livre. Même si je ne peux pas me concentrer, si je n'arrive pas à lire, le seul fait d'en avoir un sous la main, que je pourrais ouvrir au besoin, m'apaise. Mais bien sûr, ce n'est là qu'une supposition. Que puis-je savoir du temps qui s'écoule dans un lieu d'accueil?

D'ailleurs, quand il s'agit de faire des dons, mieux vaut ne pas considérer les réfugiés comme des saints. J'ai entendu dire que l'on n'est pas autorisé à envoyer de boissons alcoolisées dans les lieux d'accueil. Plus tard, je découvre dans un article de Hisao Nakai qu'un fort taux d'alcoolisme avait été constaté parmi les sinistrés de Hanshin.

Le 10 avril

Je pars deux jours à Hakone, à la montagne, dans une source thermale que je connais bien. La patronne de l'auberge m'explique qu'après le séisme, il y a eu des annulations en masse, alors même que la source se trouve à une heure et demie de train à l'ouest de Tokyo ; l'endroit idéal pour s'éloigner. Elle dit aussi que, pendant quelques jours, l'eau n'était plus limpide. Elle a dû être inquiète. Les sources thermales font vivre beaucoup de gens au Japon, et il y a de quoi redouter les séismes, surtout si la terre se déplace comme cette fois de plus de deux mètres. La source peut tarir d'un coup, sans prévenir, et alors il n'y a plus rien à faire.

Le 11 avril

Les reflexes qui remontent, dans le tunnel, sur une route en bord de mer. Je ne peux pas m'empêcher de penser à ce qui pourrait se passer s'il y avait un tremblement de terre dans l'instant. Chacun de nos gestes est le résultat de ce que la vie nous a appris. Un enfant battu aura tendance à se protéger chaque fois qu'on agitera le bras à côté de lui, même si ce n'est pas pour le frapper. Les Japonais s'inclinent au bout du fil bien que leur correspondant ne puisse pas les voir. On serre son sac dans le métro parisien pour ne pas se le faire voler. Au Japon, dès qu'il y a une secousse, on se couvre la tête avec les bras ou on se rue sous la table. Depuis le séisme, je vois beaucoup moins de filles à talons dans les rues de Tokyo, et j'ai entendu des lycéens dire, à la sortie des cours : « Prenons plutôt le train, pas le métro. »

Un beau jour, en retournant au Japon, le piano dont je jouais chez mes parents avait disparu. Je n'étais pas contente. Ma mère m'a dit qu'elle l'avait « prêté » à une amie dont la fille voulait apprendre à jouer. Elle argumente; et puis un piano, tu sais, en cas du séisme, c'est une vraie machine à tuer, ça roule à toute vitesse, avec son poids, ça fracasse le mur, et les hommes, n'en parlons pas.

Dans mon appartement parisien, sur deux côtés, il y a des bibliothèques fixées au mur jusqu'au plafond. Je les ai fait installer depuis que j'ai emménagé à cette adresse, il y a bientôt quatre ans. Avant cela, je n'aurais jamais élevé une bibliothèque aussi haute ou si près de mon lit. Au Japon surtout, cela ne me serait même pas venu à l'esprit. Bien que ce ne soit pas très économe en termes d'utilisation de l'espace, chez mes parents les bibliothèques sont toutes à 1,60 m. Il m'est d'ailleurs arrivé d'être surprise par l'agencement des meubles chez mes amis français : placards juste à côté du lit, jolis vases exposés à hauteur de la tête.

En installant ces bibliothèques, j'étais toujours un peu inquiète. J'ai assailli de questions mes amis et l'ouvrier qui venait les poser. Ils se sont bien moqués de moi et ils avaient raison.

Je me rends compte à quel point les reflexes sont ancrés en nous.

Le 12 avril

Dans le magazine *Focus*, un article intitulé « Dans le cercle de vingt kilomètres autour de Fukushima, même les ombres se sont évaporées ». Encore une superposition d'images. Les ombres, l'évaporation : Hiroshima.

Corinne me parle d'une région sinistrée qui a été victime de plusieurs tsunamis. À chaque fois, pendant un temps, plus personne n'habite près des côtes, mais peu à peu les gens se mettent à revenir ; les terrains sont beaucoup moins chers qu'ailleurs.

Dans le hameau d'Aneyoshi, près de la ville Miyako, après le grand tsunami de 1933 qui n'a laissé que quatre survivants, on a posé une stèle pour indiquer le point culminant de la montée des vagues, sur laquelle on a inscrit : « Ne construis pas ta maison en dessous de ce point ». Les habitants ont respecté la consigne, et cette fois-ci, aucune maison du hameau n'a été engloutie. Les vagues se sont arrêtées à 50 mètres en dessous de la stèle.

Yahoo propose une application d'informations sur les tremblements de terre. Il peut afficher jusqu'aux mille dernières secousses. La date du 11 mars a disparu aujourd'hui. Ce qui signifie qu'il y a eu plus de mille répliques en un mois.

Le 13 avril

Même ma coiffeuse, d'ordinaire si gaie et si peu soucieuse de l'actualité, glisse : « Je ne sais pas si je pourrai revoir ce cerisier l'année prochaine. »

Il paraît que certains sinistrés retournent dans les lieux d'accueil après avoir été recueillis par des municipalités plus éloignées, dans des logements sociaux ou d'autres lieux tout de même plus confortables. Certes, il y avait plus de confort, mais il n'y avait personne avec qui partager son expérience. Ils devaient se sentir isolés, incompris. Le partage de la mémoire. Encore une superposition d'images. Le souvenir des Juifs.

À l'inverse, il y a aussi des gens qui quittent leur lieu d'accueil pour aller vivre sous la tente, dans des conditions beaucoup plus précaires, parce qu'ils ne supportent plus la promiscuité. Aucune intimité dans les lieux d'accueil.

Chaque fois que je rencontre quelqu'un, je lui demande ce qu'il a lu après le séisme, et s'il pense qu'il pourrait éprouver le besoin de lecture s'il était réfugié dans un lieu d'accueil. La plupart des gens disent qu'ils n'ont rien lu et qu'il leur serait probablement impossible de lire dans un lieu d'accueil.

Sans doute, une fois le quotidien organisé parmi les réfugiés, les uns et les autres doivent trouver leur fonction au sein de cette communauté provisoire, et le travail physique doit contribuer mieux que la lecture à dissiper les angoisses pressantes. Je pensais plutôt aux tout premiers jours, quand il n'y a rien à faire qu'attendre, dans la plus complète incertitude. Est-ce qu'on pourrait avoir besoin d'un livre alors, ne serait-ce que pour s'isoler ? Je n'en sais rien. Je suis confrontée à la difficulté d'imaginer, aux limites de mon imagination.

Le 14 avril

À la question de savoir si elle supporterait de rester sans livre dans un lieu d'accueil, Mariko Asabuki, écrivain, répond : « J'aurais plutôt besoin d'un cahier et d'un stylo ; alors, je pourrais me passer de livres. » Un vrai générateur, capable de produire elle-même l'énergie dont elle a besoin !

M. Ogawa, éditeur, me dit que Norio Akasaka, ethnologue spécialiste du nord du Japon, se trouve actuellement dans la région sinistrée. Menant des recherches sur le terrain depuis des années, il estime naturel de poursuivre.

M. Ogawa dit qu'il faudrait aussi que Kenzaburô Ôé se rende dans le nord ou qu'il écrive quelque chose sur ce qui s'est passé. S'il parvenait à mener ce travail, dit l'éditeur, ce serait en parfaite cohérence avec son travail antérieur, sur Hiroshima et la bombe atomique, mais aussi sur Okinawa et la question des périphéries.

Le 15 avril

Je déjeune avec un ami, Okai. Dans sa jeunesse, il a coupé tous les ponts avec sa famille. Il soupçonne même ses parents d'avoir déposé à l'époque une déclaration de disparition pour être entièrement débarrassés de lui. Contrairement aux personnes qui font l'objet d'un avis de recherche, ceux qui sont déclarés disparus sont classés comme décédés au bout d'un certain temps. Okai est originaire d'Iwate. Je lui demande si sa famille a été épargnée par la catastrophe. Il dit qu'il ne sait pas, qu'il n'a pas pris contact.

Je lui demande s'il a regardé au moins la liste des morts dans les journaux. Il dit : « Pardon, j'ai regardé une fois. Mais comme les noms n'y figuraient pas, j'ai décrété qu'ils sont vivants. » Son « pardon » me surprend. On aurait dit qu'il s'excusait de son manque de détermination. Pourtant, il a bien le droit de savoir.

C'est en tout cas la première fois que je suis témoin du réel usage de cette liste. C'est donc comme ça qu'on apprend la vie ou la mort des membres de sa famille, noir sur blanc.

Sadakazu Fujii, poète et spécialiste du *Dit du Genji*, dit que les événements lui rappellent ses souvenirs des années 1950. Quand il était petit, on recommandait de se munir d'un parapluie contre les pluies radioactives. Moi, ce sont les années 1970 qui me reviennent. Les années 1950 ont certes été marquées par la peur du nucléaire, notamment après l'accident du *Daigo Fuku-*

ryûmaru, thonier irradié en 1954 à la suite d'un essai nucléaire américain, qui fit un mort et plusieurs irradiés parmi les membres d'équipage. Mais après, chacun se souvient de l'époque où la peur du nucléaire s'est fait plus vivement sentir, selon sa génération.

Quand s'opère l'oubli ? J'ai demandé à mon père jusqu'à quand on n'avait plus mangé de thon, après l'accident du *Daigo Fukuryûmaru*. J'avais vu une photo de l'époque, avec une pancarte devant chez le poissonnier indiquant : « Nous ne vendons pas de thon atomique. » Je savais que les ventes de thon avaient considérablement chuté pendant un moment. Il m'a répondu qu'il ne se souvenait plus exactement. Je suis certaine que mon frère n'a jamais entendu l'expression « thon atomique », sans parler des générations suivantes.

Cela peut être très long. La ville de Minamata, victime d'une pollution de ses côtes au mercure dans les années 1940, cause de la maladie neurologique dite de « de Minamata », eut longtemps à souffrir des conséquences. Les hameçons censés retenir les poissons pollués restèrent en place jusqu'en 1997. Malgré une politique municipale axée sur le développement durable et l'agriculture biologique, il est encore difficile d'afficher aujourd'hui le nom de la ville sur les produits alimentaires, en dépit de leur innocuité.

La catastrophe présente a ravivé la question de Hiroshima et Nagasaki. Beaucoup de gens sont tentés de faire la comparaison avec Fukushima. On se demande si c'était une bonne chose de retourner habiter si vite, à l'époque, à Hiroshima et à Nagasaki ; s'il faut délivrer comme alors des carnets d'irradiation... Les réponses varient. Pour ma part, je n'ai pas encore d'avis arrêté. Mais ce qui est certain, c'est que tout remonte à la surface, ce dont on croyait avoir tourné la page. Il faudrait vraiment réfléchir, en prenant les choses une par une, à ce que c'est que l'oubli, à ce qu'il ne faut pas oublier, et comment.

Pouvoir sortir boire un verre est un luxe. Je ne l'avais jamais considéré ainsi jusqu'à ce que l'un de mes amis me raconte que depuis le séisme, il a perdu toute envie d'aller prendre un verre. Un peu parce qu'il n'a pas le moral, un peu parce qu'il y a les coupures de courant programmées. Mais surtout parce qu'il craint désormais les effets de l'alcool, envisageant à tout moment la possibilité d'un nouveau séisme. Mieux vaut avoir la tête claire pour rester vigilant.

Le 16 avril

L'heure de la délation a sonné. Voilà des gauchistes qui ont fui Tokyo ; tel écrivain a rédigé son article héroïque alors qu'il se trouvait bien en sécurité dans une ville épargnée ; ces Français ont quitté le Japon ; telles vedettes se sont affichées autrefois dans des publicités pour Tepco… Pour ma part, je n'ai l'intention de juger personne. Le plus effrayant, c'est ce mode de dénonciation qui s'installe.

Je me disais qu'à l'approche d'une guerre, on entrerait progressivement en état d'urgence, on tendrait peu à peu vers le totalitarisme, vers la censure. En ce moment, beaucoup de voix se font entendre pour dénoncer l'état d'urgence, la censure, les modalités de contrôle du discours qui s'installent. Les gens semblent avoir conscience de l'« état d'exception » qui prévaut aujourd'hui. Mais pour autant, la tendance ne semble pas vouloir s'inverser. La surveillance du discours, on reconnaît qu'elle atteint l'ordre de l'état de guerre, et malgré cela nous n'en sortons pas. C'est un mécanisme dont je n'avais pas idée auparavant.

Une amie me dit que pour sa mère, qui a connu la guerre, il n'y a rien d'étonnant à perdre sa maison en temps de conflit. Oui, si c'est en temps de conflit. Cela ne s'est plus produit dans la plupart des pays développés depuis la fin de la Seconde Guerre mondiale. C'est l'une des raisons pour lesquelles le 11 Septembre a tant frappé l'opinion publique en Occident.

Les guerres et les destructions continuaient à se produire, mais les Occidentaux étaient persuadés que cela ne pourrait plus arriver chez eux. Les catastrophes naturelles, à la rigueur, on pouvait y être confronté. Pour les Japonais, elles sont toujours sur la liste des risques à envisager. Aux États-Unis aussi, d'ailleurs, dont certaines régions sont régulièrement frappées par les tornades ou les inondations. La catastrophe nucléaire, en revanche, nous ne l'avions pas davantage envisagée comme une option que les Occidentaux. Et bien que nous ayons assisté comme tout le monde à la catastrophe de Tchernobyl, nous pensions que c'était pour les autres, pour les pays « mal gérés », « pas tout à fait développés » en quelque sorte. Plus que la crainte d'être réellement touchés par la radioactivité japonaise, moins probable qu'avec Tchernobyl du fait de la distance, je crois que la terreur des Européens aujourd'hui est due au fait qu'ils savent qu'ils devront désormais compter l'accident nucléaire parmi les risques réels, eux aussi.

Le 17 avril

Je marche à Tokyo dans le quartier de Ginza, ancien quartier chic qui a conservé de sa splendeur passée ses boutiques de grand luxe et ses restaurants raffinés. Le dimanche, le quartier est partiellement fermé à la circulation. En marchant parmi les gratte-ciel, j'ai soudain cette certitude : je ne veux pas vivre de tremblement de terre. Immédiatement, je m'aperçois que je ne peux me permettre de penser cela que parce que je sais que je vais rentrer en France et que Tokyo n'est plus ma résidence principale.

Yumi Yamamoto, créatrice de kimonos, dit que les gens portent très peu de kimonos ces temps-ci. Pas simplement parce qu'ils n'ont pas la tête à s'endimancher, mais parce qu'ils doivent raisonner que le kimono est une tenue risquée dans les répliques du séisme. Encore un geste induit par la catastrophe.

Le 18 avril

Je déjeune avec deux poètes, Sawako Nakayasu, d'origine japonaise mais qui écrit en anglais, et Kiryû Minashita. Elles ont des enfants l'une et l'autre mais leur réaction face aux enjeux de Fukushima est assez différente. Pessimiste et angoissée, Kiryû envisage un séjour à l'étranger pour l'avenir de son fils. D'ailleurs elle devait l'emmener déjeuner avec nous, mais comme la météo annonçait de la pluie, elle l'a confié à son mari. Sawako est plus calme. Même préoccupée pour son fils, elle ne cède pas à la panique. Il faut dire qu'elle a un mari étranger. Elle a vécu aux États-Unis, en Chine et dans d'autres pays encore. Peut-être pense-t-elle qu'en cas d'extrême danger, elle pourra toujours aller vivre ailleurs.

Ce contraste des réactions a tendance à me rassurer. Depuis mon arrivée au Japon, toutes les personnes que j'ai rencontrées ont réagi différemment à l'événement. Il y a ceux qui versent dans la dépression, ceux qui ne veulent pas voir la réalité et font comme si l'affaire était réglée, ceux qui s'indignent et qui ne parlent que de cela. Chacun de ces comportements se justifie, il n'y a pas une bonne manière de réagir. Quand on est à l'étranger, les choses deviennent à la fois abstraites et uniformes, comme des images. Cette perception hétéroclite de la réalité m'apparaît salutaire.

Kiryû me raconte aussi qu'elle a écrit un poème sur le séisme, à la demande d'un journal. Fuyant le sentimentalisme dominant, elle a voulu un texte sur le ton de la colère. Mais à réception du poème, le journal ne l'a pas publié tout de suite. On lui a fait savoir que ce n'était pas un texte destiné à la rubrique « opinions ». Autrement dit, les poètes ne sont pas censés exprimer d'opinion dans leurs poèmes.

Quelques jours plus tard, je raconte cette anecdote à un éditeur, qui commente en riant : « Il faut dire aussi que dans ses textes, Mme Minashita n'y va pas par quatre chemins. » Très bien. Mais lorsqu'on passe commande à un écrivain, on doit tout de même avoir une idée de son style, je suppose.

Heureusement que je suis dans le monde de l'écriture depuis une vingtaine d'années. Même si j'écrirai désormais dans l'« après », je me sens la force d'affronter cette question et de continuer à écrire. Je pense aux jeunes écrivains, à ceux qui venaient tout juste de se mettre à écrire. Survenu au début de leur parcours d'écriture, cet événement risque de peser lourd, sans qu'ils aient encore pu se forger les outils nécessaires pour en faire un objet de réflexion. Enfin, c'est une supposition. Après tout, peut-être qu'ils s'en sortiront aussi bien, ou aussi maladroitement, que nous. Quant à moi, je crois que j'aurais eu du mal si cette catastrophe était survenue au début de ma vie littéraire.

Le 19 avril

Ces jours-ci, le journal télévisé s'ouvre immanquablement sur le même sujet, au point qu'on peut anticiper la première phrase du présentateur : « *Tôkyô Denryoku Fukushima daiichi hatsudensho deha...* », ce qui veut dire : « À la centrale numéro 1 de Tepco, à Fukushima... »

Un jour, le présentateur commence sa phrase par « *Seifu ha* », qui signifie : « Le gouvernement... » Avec ma famille, nous nous attendons à un changement de situation. Pour une fois ! Mais voilà ce qui suit aussitôt : « Le gouvernement, au problème de la centrale numéro 1 de Tepco, à Fukushima... »

C'est bien connu, *Godzilla*, série de films de science-fiction démarrée en 1954, traite d'un monstre né d'essais nucléaires. Je découvre maintenant que *Yamato, le cuirassé de l'espace*, manga et dessin animé célébrissimes de Leiji Matsumoto, abordait aussi le problème du nucléaire dans les années 1970. La terre est souillée de particules radioactives et l'humanité menace de s'éteindre, alors les héros partent dans l'espace à la recherche d'un ferment de décontamination. J'ai regardé la série dans mon enfance, mais j'avais oublié depuis ce qui en faisait l'intrigue. La menace nucléaire, promue au rang de thème littéraire et dans la culture populaire, est réveillée par l'actualité, les souvenirs nous reviennent. « Je me souviens », version nucléaire.

Le 20 avril

Hisao Nakai, écrivain et psychiatre qui a rédigé une chronique du tremblement de terre de Hanshin-Awaji où il a travaillé, parle dans un article des photos de cadavres qui ont circulé sous le manteau, en 1923, après le tremblement de terre de Kantô. On les a retrouvées jusque dans des régions très éloignées de la zone sinistrée. La pornographie du désastre.

Hisao Nakai rapporte encore, outre les massacres de Coréens, que certains, redoutant que les sinistrés viennent piller ou s'installer chez eux, entreprirent de s'organiser par quartier en unités d'autodéfense. Je n'ose pas imaginer la tension qui devait régner alors. Non, les Japonais ne sont ni polis ni disciplinés ; simplement, nous avons peut-être retenu quelque chose des erreurs du passé.

Hiroshi Yamaguchi, économiste, écrit qu'il ne faut pas chercher à « éradiquer » les rumeurs à tout prix. Bien sûr, il faut dissiper les rumeurs infondées qui mettent des personnes en danger. Mais à la moindre rumeur qui court sur internet, on voit maintenant se mettre en place, à plus ou moins brève échéance, un système autorégulé de vérification des données qui indexe, avec la rumeur, d'autres informations utiles. Si, par crainte de la rumeur, l'on se met à censurer à titre préventif toute information non vérifiée, on se prépare une société dépourvue d'« anticorps » face à la rumeur, et donc fragile.

Le 21 avril

Je parle avec Midori Suzuki, rédactrice d'une maison littéraire, qui se trouvait en France juste après le séisme. Elle me dit : « En lisant les journaux, en écoutant la radio qui loue la discrétion et la discipline des Japonais, j'ai pensé qu'il ne s'agissait pas d'une vertu des Japonais en général, mais des gens du nord. Le jour même du tremblement de terre, j'ai assisté à Tokyo à des scènes de solidarité, j'ai vu des gens faire preuve d'une politesse et d'une discipline exemplaires. Mais quand je vois les sinistrés retenir leurs larmes devant les autres, remercier tout le monde et trouver, dans ce malheur sans égal, la force d'accepter le destin qui leur tombe sur la tête sans incriminer personne, je ne peux pas m'empêcher de penser qu'à Tokyo, par exemple, les choses ne se seraient pas passées ainsi. Les gens du nord ont toujours eu à lutter plus que les habitants de n'importe quelle autre région à cause de l'hostilité de la nature, et c'est ce qui leur a donné cette vertu sublime et déchirante. »

À l'écouter, je me suis rappelée que Hisao Nakai cite aussi un témoignage de la Seconde Guerre mondiale selon lequel les bataillons d'appelés venus du nord ne pratiquaient pas le pillage, contrairement à d'autres.

Je ne sais pas ce qu'il en est. Mais ce dont je suis sûre, c'est que la « mentalité japonaise » ou la « discipline japonaise » n'ont pas d'existence à l'échelle nationale. Il y a cette utopie universelle d'après la catastrophe dont parle Rebecca Solnit, qui se réalise dans l'état d'urgence. Et puis il y a cette vertu propre à ceux qu'a façonnés la rudesse de l'existence, comme les habitants du nord du Japon.

En écrivant cela, je suis perplexe. Je pense au nord. À la région de Tôhoku, périphérie qui a toujours servi de base arrière pour Tokyo, qui ne s'est pas privée d'en profiter. Entre la fin des années 1950 et le début des années 1970, c'est elle qui a fourni l'essentiel de la main-d'œuvre bon marché. À peine sortis de l'école, on envoyait les jeunes gens de Tôhoku dans les fabriques et dans les ateliers. Aujourd'hui encore, la zone sinistrée compte un grand nombre d'usines, la main-d'œuvre étant restée moins chère qu'ailleurs et la région étant facilement accessible depuis Tokyo. À cause de la distance, il n'eût pas été réaliste d'implanter une zone industrielle à Okinawa, par exemple, même à coût équivalent.

Vue de la capitale, Tôhoku a toujours été une périphérie reculée bien que géographiquement proche. Dans l'imaginaire tokyoïte, c'est la campagne profonde, y compris sous l'aspect linguistique : l'accent de Tôhoku est considéré comme l'un des plus difficiles à comprendre.

C'est cette histoire, et l'image associée depuis toujours à Tôhoku, qui me rendent perplexe. Quand je me dis émue par l'accent de Fukushima en entendant les interviews des sinistrés, est-ce que je ne cèderais pas à mon tour à un certain orientalisme ? En écrivant cela plus haut dans le texte, j'ai été prise d'hésitation. Ai-je le droit de parler de la mentalité des gens du nord comme d'un tout homogène quand Tôhoku regroupe tout de même sept départements, très vastes et très divers ? En faisant le lien entre l'histoire des gens du nord et leur réaction face au séisme, est-ce que je ne tombe pas dans le même piège qui conduit les étrangers à s'extasier devant la discipline japonaise, excroissance de leur imaginaire ?

En même temps, je ne peux pas m'empêcher de penser qu'après le séisme de Hanshin-Awaji, il y avait quelque chose de plus humain dans le comportement des gens, c'est-à-dire plus d'égoïsme et de petits conflits, même si la solidarité dominait aussi. Au demeurant, ma perception de la douceur de l'accent de Tôhoku était sincère. La différence viendrait-elle de la nature du séisme, qui a provoqué cette fois-ci plus de désespoir que n'importe quel autre auparavant, plutôt que de la mentalité des habitants dans les régions sinistrées ? Ou seraient-ce les médias qui ont changé, ce qui est aussi fort possible ? Je ne parviens pas à trancher la question. Elle se pose depuis le séisme, et me travaille encore.

Au moment même où j'écris ces mots, à 22h39 dans le train de retour vers la maison, mon portable se met à sonner : alerte au séisme. Le portable des autres passagers s'est aussi déclenché. Tout à coup le wagon est assourdi d'alarmes qui retentissent de concert. Une secousse dans le département de Chiba. Le train remue, un peu.

Le 22 avril

Je commence à retrouver certaines habitudes d'avant le séisme. Il m'arrive de nouveau de temps à autre de monter dans un ascenseur (parfois, pas toujours – pas à cause du Japon, mais depuis une expérience d'ascenseur bloqué que j'ai faite en France). Je ne pense plus systématiquement au tremblement de terre chaque fois que je prends le métro. J'ose passer sous les panneaux. Et si je ne me déplace pas juchée sur des escarpins, c'est que ce n'est pas mon genre. Je réapprends à me familiariser avec cette ville, Tokyo, ma ville.

Avec Mariko Asabuki, nous parlons des expressions figées. Dans certains cas, la formule toute faite offre une description très exacte de la réalité. Le jour où j'ai été agressée dans le métro, j'ai senti mon cœur battre la chamade. La peur nous coupe littéralement les jambes. On sent, physiquement, que le cœur se serre, se brise. Ces expressions reflètent précisément nos sensations.

Mais pourquoi donc, quand on l'exprime en ces termes, la chose tombe-t-elle dans la banalité la plus absolue, pourquoi ?

Pourquoi les témoignages des sinistrés, qui ont indiscutablement traversé une épreuve extrême, sonnent-ils faux alors même que ces mots doivent exprimer au plus près leurs sensations les plus intimes ?

Ce n'est pas le fait d'un défaut d'expression de leur part ; c'est cette double nature propre aux tournures idiomatiques qui, fatalement, sonne faux.

Quels mots, quelles expressions la littérature doit-elle trouver, dans tout cela ?

Réception pour la remise du prix Ayukawa. L'épouse du poète lauréat, Ryôji Asabuki, est en kimono. C'est la première personne que je vois porter un kimono depuis mon arrivée à Tokyo, il y a plus de deux semaines.

Au cours de la soirée, les invités s'émerveillent que la cérémonie ait pu être maintenue lorsque tant d'autres, les remises de prix ayant lieu au printemps, ont dû être annulées.

Dans leurs allocutions, les membres du jury signalent dans les livres primés des passages en rapport avec l'événement. De fait, on trouve des prédictions de la catastrophe avec une surprenante facilité ; on parle alors de « coïncidence ». Cette fois, comme par hasard, l'un des livres primés s'intitulait *Avant la rafale*.

Une romancière me raconte qu'elle prépare un roman sur la troisième génération des irradiés de Hiroshima. Ce thème la travaille depuis longtemps et elle était plongée dans la documentation quand survint la catastrophe. Je lui fais remarquer qu'elle risque gros en écrivant ce roman maintenant, qu'elle va s'attirer des critiques. On pourra l'accuser de profiter de la situation, d'avoir choisi un thème aguicheur. Mais elle est déterminée : c'est sur ce texte qu'elle avait prévu de travailler et elle se dit prête à endosser toutes les critiques qu'on voudra lui faire.

Encore une histoire de coïncidence. La pensée des écrivains se déploie comme un fleuve sur lequel les catastrophes viennent s'écraser comme des rochers, en faisant des éclaboussures, des ricochets.

Nous avons aussi abordé la question de l'oubli. Les jeunes Japonais d'aujourd'hui n'ont sans doute pas conscience de l'existence même de cette troisième génération d'irradiés. Écrire sur ce sujet ne risque-t-il pas de raviver la discrimination à leur égard? D'autant que la romancière n'a pas l'intention de cacher que les conséquences sur la santé sont encore lourdes, à trois générations de distance, et qu'il y a notamment un risque de cancer du sang. Cette question la travaille. Mais elle affirme qu'en tous les cas, il est exclu qu'elle renonce à écrire ce roman.

Je suis curieuse de savoir ce qu'Ôé pourra bien écrire après cette catastrophe. Mais il n'y a pas que lui. Comme mon amie romancière, beaucoup d'écrivains influencés par Ôé essaient d'aborder cette question en face. Un écrivain qui lit un livre et qui écrit à son tour sur une thématique similaire peut être considéré comme un héritier de l'auteur qu'il a lu, même s'il ne le revendique pas lui-même. C'est ainsi qu'un auteur ou un livre peuvent avoir plusieurs héritiers, sans qu'on puisse parler pour autant d'école voire d'influence directe. Il y a des héritiers dans l'esprit.

Je continue à interroger les uns et les autres sur ce qu'ils ont pu lire après le séisme. Deux personnes différentes et qui ne sont pas poètes m'ont répondu qu'elles ne sont parvenues à lire que de la poésie. Certains disent qu'ils n'ont pas pu lire du tout, mais qu'ils ont écouté de la musique ; pour d'autres, c'est le contraire. Je ne parviens toujours pas à identifier le type de mots dont on pourrait avoir besoin après une catastrophe. Mais en tant qu'écrivain, mes interrogations sur l'écriture ont changé ; ce n'est plus « que faut-il écrire après une catastrophe » mais « qu'est-ce que les gens ont besoin de lire ». Quels mots voudront-ils voir, entendre ? Que peut-on leur offrir ?

Il n'est pas question de transmettre un quelconque message aux sinistrés. Je constate simplement que l'on est forcé de réfléchir différemment à ce qu'on écrit, quand le monde qui le reçoit a changé. D'ailleurs, il n'y a pas que le monde qui change, après une catastrophe. Les modes de discours, le phrasé se transforment, fût-ce provisoirement. Il y aurait beaucoup à analyser, mais je constate que les transformations qui affectent la manière de parler, le discours, la narration, sont plus fortes cette fois-ci qu'après les catastrophes qu'on avait connues auparavant. Tout est remué en profondeur. En tant que sujet écrivant, il faut rester attentif à tous ces changements. Quant au sujet lisant, et parlant, qu'est aussi l'écrivain, il est violemment ballotté dans ce tourbillonnement du langage. Dans ce contexte, qu'est-ce qui demande à être lu, à être reçu ?

J'essaie aussi d'imaginer de quelle littérature japonaise les Français pourront avoir envie désormais. On a beaucoup entendu parler du Japon depuis le 11 mars ; bientôt, on risque de s'en lasser. Saturation sur toutes choses japonaises, besoin de passer à autre chose. À ce moment-là, d'ici un an peut-être, n'ayant plus qu'une image ternie du Japon, quel roman faudra-t-il aux Français ? Ou peut-être auront-ils atteint le point où ils ne voudront plus rien lire en rapport avec le Japon ?

Le 23 avril

Dans la revue *Switch*, le compositeur Haruomi Hosono affirme que les Tokyoïtes sont des sinistrés, même sans avoir subi de dégâts matériels. Des sinistrés psychologiques, d'une certaine manière. À mon sens, en effet, cela qualifie assez bien l'état présent des Tokyoïtes. Après tout, la terre s'est ébranlée jusqu'à Tokyo, des quartiers animés se sont retrouvés plongés dans l'obscurité, et l'angoisse de Fukushima a été particulièrement vive dans la métropole. Bien qu'il n'y ait pas eu de dégâts considérables, la simple interruption des fonctions métropolitaines qui la définissaient d'ordinaire a eu pour effet de rendre un temps la ville méconnaissable. Et en un sens, justement, parce qu'ils ne sont pas des victimes directes (ni coupures de courant massives ni liquéfaction de la terre, peu de maisons effondrées et presque pas de morts), les Tokyoïtes n'osent pas formuler leur souffrance, face à l'horreur que vivent les réels sinistrés. Douleur rentrée mais lancinante dont les effets se feront sentir avec le temps.

Le 24 avril

À l'approche du retour, j'ai presque comme un regret. Ma vie ici, mes amis, mes collaborateurs, les lieux familiers me sont redevenus proches. Je connais bien ce phénomène. À la fin de chaque séjour au Japon, je suis toujours un peu triste, mais une fois à Paris, je reprends vite mes activités, en m'arrangeant pour éviter autant que possible les temps morts.

Cette fois, j'étais arrivée à Tokyo avec le sentiment de la fin, en ayant renoncé au mode de vie en allers et retours que j'avais vaguement concocté lors de mon précédent séjour. Pourtant, j'ai comme l'impression désormais que je pourrais l'envisager à nouveau, que je m'habituerais aux secousses, que je pourrais même prendre plaisir à cette vie entre deux lieux, entre deux mondes.

Ce sont mes amis qui m'ont rendu cet espoir, eux qui s'acharnent à poursuivre leur existence, leur travail surtout, pour que la culture continue à vivre. C'est aussi la ville de Tokyo, dont j'ai beaucoup fréquenté cette fois le quartier de Kagurazaka, qui m'est très familier, et où je suis née. Ce quartier, cette ville, j'y suis décidément attachée. Cela m'apparaît plus clairement à présent.

Cela ne veut pas dire que je ne pense plus à la catastrophe ou que je ferme les yeux sur la réalité.

C'est comme si, la ville ayant été violée, je me mettais à faire l'amour avec elle. Je l'aimais déjà avant qu'elle soit violée. Je ne l'en aime pas plus et pas moins pour cela. Je sais juste qu'un grand changement s'est opéré en elle, et je l'accepte telle qu'elle est. Nous commençons de nouveau à nous toucher.

Il y a quelque chose qui incite à formuler les choses comme cela, crûment. Cet attachement, ces travaux d'approche renouvelés, c'est physiologique.

Le 25 avril

Premier jour du Printemps des poètes à Tokyo. Lecture-concert avec Mariko Asabuki et Keiichirô Shibuya. Je fais une lecture en français, Mariko en japonais, et Keiichirô met nos lectures en espace avec sa musique.

La salle est bondée, cent vingt personnes sont venues assister à la rencontre. On sent que le public a besoin de vivre autre chose que le marasme ambiant.

Le 26 avril

Deuxième soirée, avec Anne Portugal et Masayo Koike, poète et romancière. Le public et les intervenants japonais sont surpris de voir que les poètes et l'éditeur français ont maintenu leur participation. Ils sont sincèrement admiratifs et ravis, surtout, de leur présence. Ils l'interprètent comme une forme de courage alors que tant d'étrangers annulent leur venue. Je pense, est-ce que je serais partie, si j'étais invitée dans un pays après un semblable accident ? – À Taïwan, par exemple, pays que j'aime beaucoup, mais qui a aussi ses tremblements de terre, et des centrales nucléaires ?

Mais la question n'est pas de savoir s'il faut y aller ou non. S'il s'agit de partir ou de ne pas partir, on a toujours de bonnes raisons. La nécessité qu'il peut y avoir à partir malgré tout, l'importance que l'on accorde personnellement au but de son séjour, voilà ce qu'il faut prendre pour matière à réflexion.

L'après-midi, au cours d'une discussion entre poètes français et japonais, Kiryû Minashita nous révèle que depuis le séisme, elle ne peut pas s'empêcher d'écrire. Pas de la critique, ou des articles de sociologie, dont elle est spécialiste, mais des poèmes.

Décidément, les potentialités qu'un tel événement peut déclencher chez les écrivains sont très variées.

Le 27 avril

Troisième soirée : Christian Prigent, Vanda Benes et Art verbal unit, TOLTA.

Depuis quatre jours, il fait étonnamment beau.

J'ai un peu de temps dans l'après-midi, alors je vais me promener dans le quartier de Kagurazaka. Dernièrement, c'est étrange, je me sens plus en sécurité, comme un enfant protégé par ses parents. La présence de mes amis poètes et de mon éditeur français, ma famille d'écriture, n'y est pas pour rien. C'est comme si j'avais transporté à Tokyo un peu de mon environnement français – dans son giron, je retrouve ce sentiment enfantin de sécurité.

C'est aussi que je ne m'occupe que de poésie du matin au soir ; trêve d'informations, je ne regarde plus ni la télévision ni les sites consacrés au problème de la centrale.

Et puis, cela faisait un bout de temps que je n'avais pas passé un vrai moment à Kagurazaka, depuis la mort de mon grand-père qui y habitait.

Toute mon enfance, ma jeunesse, se concentrent dans ce quartier. Bien que nous soyons ensuite partis habiter ailleurs avec mes parents, j'ai continué à y venir souvent, j'y passais toutes mes vacances seule chez mes grands-parents. Et comme mon grand-père était éditeur, le quartier est toujours resté lié pour moi à la lecture. Nous passions souvent tous les deux par une grande librairie où je pouvais m'acheter tous les livres que je voulais, et j'ai encore présents à l'esprit le bruit des rotatives et l'odeur d'encre des imprimeries toutes proches.

Je traverse le quartier des éditeurs ; en descendant la pente cela devient le quartier des relieurs, puis des imprimeurs. Bien que situé au centre de Tokyo, ce quartier a curieusement préservé l'ambiance d'autrefois, celle qui m'était familière. C'est sans doute cela qui me dit que rien de grave ne peut se passer, que je suis bien dans ma vie.

Télescopage de deux temporalités : la France, qui est mon lieu d'écriture, là maintenant, et mon passé en lien avec la lecture ; elles me protègent doublement.

Je contemple Kagurazaka, qui veut dire « pente de Kagura », danse et musique spirituelles, Kagura tout en pentes, et je me dis, ce quartier qui conserve et témoigne de mon passé, s'il s'écroule, c'est comme si j'étais un peu morte. Chaque fois qu'on perd des témoins de sa vie, les lieux comme les personnes, on se met à vivre une vie manquante.

Je contemple ce quartier, bercée d'un sentiment doux, en lui superposant malgré moi une autre image, détruite et dévastée, qui sera fatalement le futur de ce quartier, après le séisme qu'il faudra bien que les Tokyoïtes subissent à leur tour.

Paul me dit qu'il s'est promené cet après-midi à Akihabara, le quartier de l'électronique. Je me souviens que le nom du quartier provient d'une divinité populaire qui apaise le feu, Akibagongen.

Le 28 avril

Quatrième soirée, avec Paul Otchakovsky-Laurens, Kôshi Oda des éditions Shichôsha et le poète Ryôichi Wagô.

À la lecture de Wagô, je m'étonne que le texte me fasse une impression tout autre que quand je l'avais lu sur Twitter. Le côté direct et émotif, qui ne m'avait pas dérangé sur l'écran, me gêne beaucoup à l'oral. Une fois stabilisées sur le papier et lues à voix haute, les phrases au statut éphémère qui se lisaient dans l'urgence et étaient vouées à disparaître aussitôt s'imposent dans toute leur nudité – surabondance de sentiments.

Un poète français qui se trouvait au Japon et s'était rendu à Iwaki fait une lecture. Il évoque son expérience de manière obscène. Mais ce n'est pas tant la maladresse du contenu ou la qualité de sa lecture qui me dérangent. C'est sa manière de prononcer les noms propres. Les noms de tunnels qu'il prononce solennellement, je ne les ai pas compris. Et lorsqu'il articule sur un ton grave, après une pose, « Godziya », pour « Godzilla », en chuintant le double « l », quelque chose m'apparaît soudain : dans une catastrophe, tout se noue autour du nom propre. Il ne s'agit pas d'une intolérance de l'autochtone face aux défauts de prononciation dans sa langue. Ce serait d'ailleurs fort malvenu de la part d'une farouche partisane, que je suis, des accents étrangers, accents auxquels je ne manque pas d'apporter ma contribution quand je parle français. Et puis, le japonais contenant moins de sons que leur langue, les Français s'acquittent d'ordinaire très bien de le prononcer. Non, c'est d'autre chose qu'il s'agit. Il s'agit en vérité d'énoncer la catastrophe. Énoncer un nom propre, c'est convoquer la présence ou l'image de ce qui est nommé. Négliger de le prononcer, je ne dis même pas correctement mais juste sobrement, c'est nier ce que ce nom a vécu et ce qui a été vécu en lui.

Puisque ce poète parle de « Godziya » et non de « Godzilla », ce n'est pas notre histoire. Il parle d'une autre catastrophe, qui a dû se produire ailleurs, quelque part, en tout cas pas ici.

Tetztaro Nakamura raconte qu'après le crash d'un avion de la compagnie JAL le 12 août 1985, qui a fait 520 morts, le présentateur qui lisait la liste des noms des passagers sur l'écran, qui aurait dû s'interrompre à cause d'une conférence de presse, a continué à lire alors que son supérieur essayait de l'en empêcher.

Je vois une photo de cette liste des noms qu'égrenait le présentateur, écrite à la main en écriture phonétique. Le 11 mars, ce que j'ai entendu, c'était une liste de noms transmis sans doute uniquement en kanji sans être accompagnés de leur transcription phonétique ; les noms tremblaient. Après le crash de l'avion de la Japan Airlines, seules les prononciations ont été transmises au présentateur, et non les kanjis, les idéogrammes.

Dans les noms propres en japonais, écriture et prononciation cohabitent, mais chaque fois selon des combinaisons différentes. Dans le cas d'une mort naturelle, l'écriture et la prononciation accompagnent toutes deux le défunt. On a les idéogrammes calligraphiés, et le nom est correctement prononcé. Lors d'une catastrophe, ce régime binaire est bouleversé, et les morts perdent soit leur écriture, soit leur prononciation, parfois les deux.

Les noms propres tremblent.
C'est ce qu'on appelle une tragédie.

Depuis, le vol JAL123 a été supprimé.

Le 29 avril

Quarante-neuf jours après le tremblement de terre. C'est le jour du rituel bouddhique où l'on dit que l'âme rejoint définitivement l'au-delà.

La liste des morts publiée quotidiennement raccourcit certes de jour en jour, mais elle est encore là, quarante-neuf jours après.

Dans un journal, une phrase à la fin de la liste : « Le commissariat de Miyagi a corrigé le nom d'un mort, "Ritsuko Hirata", en "Riuko Hirata". »

Une photo de l'emplacement sans nom où sont enterrés les morts que leur famille n'est pas venue réclamer à temps. Depuis, certains corps ont retrouvé leurs proches, mais malgré cela, la plupart doivent rester sur place en attendant d'être transférés dans un cimetière définitif, un caveau familial, par exemple. Sur la photo, je vois une famille qui rend visite à la tombe « c-3-3 », les chiffres sont inscrits sur des poteaux de bois. Sur les tombes « c-3-2 » et « c-3-6 », il y a des fleurs.

Le 30 avril

À un moment, j'ai pensé clore ce livre sur la description de mon départ au Japon. C'était quand j'avais l'impression que quelque chose était déjà fini. Et je redoutais de constater la fin sur place.

Je pense finalement que j'ai bien fait d'y aller, et de poursuivre ma chronique. Ce n'est pas pour nier la réalité de la fin. Quelque chose a pris fin, ou plutôt s'est brisé, c'est sûr. Mais si je n'avais pas vécu ce que j'ai vécu à Tokyo, ce livre, tout en restant un rapport sincère, aurait pris une couleur plus sombre. Il aurait recueilli moins de voix, moins de nuances.

Le livre a fatalement une fin. Et fatalement, la réalité n'en a pas. Un livre qui traite d'une catastrophe, un livre sur une révolution, s'interrompra forcément au milieu, même si le contenu court au-delà des événements. Parce qu'une catastrophe, une révolution, une guerre, ne sont jamais terminées au moment où elles s'achèvent. Elles se prolongent encore longtemps. Cette chronique ne peut donc pas se terminer ; elle ne peut qu'être interrompue. À ce livre il manquera toujours une suite. La suite de la réalité. Qu'elle soit tragique ou heureuse. Au bout du compte, je ne suis pas parvenue donner une fin heureuse à ce livre. Puisque la fin n'existe pas.

Je remercie vivement tous les amis qui, directement ou indirectement, m'ont apporté leur témoignage, et les auteurs des textes que j'ai pu lire, sur des sites internet aussi bien que dans les livres. En dehors des noms qui apparaissent dans le texte, de nombreux amis m'ont aidé à réfléchir et m'ont soutenue. Je ne les en remercierai jamais assez.

Merci aussi à ma famille.

Justine Landau a été à mes côtés pour relire ce texte et me conseiller. Elle a été témoin de ce que j'ai vécu au jour le jour, par texte interposé. Sans elle ce livre n'aurait pas la forme qu'il a prise. Bien qu'à distance, je me suis sentie en quelque sorte protégée par sa lecture qui m'accompagnait.

En général, je ne dédie mes livres à personne, mais puisqu'il est question de noms propres, je dédie celui-ci à la mémoire de mon grand-père, Teruo Ôtsuka, éditeur, qui m'a appris à lire et à écrire.

Achevé d'imprimer en février 2020
dans les ateliers de la Nouvelle Imprimerie Laballery
à Clamecy (Nièvre)
N° d'éditeur : 2237 – N° d'édition : 369623
N° d'imprimeur : 002417
Dépôt légal : octobre 2011

Imprimé en France